KB075970

김 영관 단편소설 모음 17

청주와 새옹지마

김 영관 (소설가, 문학박사)

1960년 대구에서 태어남.
1998년 미국 크랩 오쳐드 리뷰 아시아 특집에 단편소설 <황색도시> 실음.
1999년 슬로바키아 디멘션5 시디에 단편소설 <곱사등이> 실음.
2008년-2009년 소설집 <허균과 홍길동> 한국 청소년 신문에 실음.
2016년 김 영관 단편소설 모음 11 <비 내리는 4.19 혁명>
2018년 김 영관 단편소설 모음 12 <길을 찾는 그대에게>
2020년 김 영관 단편소설 모음 13 <소설 안평대군>
2021년 김 영관 단편소설 모음 14 <원효>
2022년 김 영관 단편소설 모음 15 <우한 바이러스>
2023년 김 영관 단편소설 모음 16 <우크라이나의 겨울>
2023년 수원대 객원 교수

속판

김 영관 단편소설 모음 17

청주와 새옹지마

청주와 새옹지마

청주에서 서울까지는 2시간이면 온다.
그런데 그날 나는 5시간이 걸렸다.
왜?
길라잡이를 켜지 않았으니까.
왜?
안 켠 채로 가보려고 했으니까.
왜?
그냥 길만 보면서는 올 수 없을까를 생각했으니까.
왜?
그냥 사람답게 살려고.
왜?
하도 억눌려서.
왜?
갑갑해서.
왜?
아아, 그냥!
차가 그렇게 밀리지도 않았는데, 나는 5시간을 돌고 돌았다.
청주에서 천안 쪽으로 가는 고속도로를 타고 서울로 왔다면 아무리 늦었다고 해도 3시간 안에는 들어왔을 것이다. 하지만 나는 그렇게 가기가 싫어서-멋대가리 없는 고속도로가 싫어서- 진천, 용인으로 가다가 광주, 성남으로 가려고 했으나, 이건 웬걸 그쪽으로 나가는 길이 보이지 않았고, 옆으로만 가다가 수원으로 가서는 마침내 안양까지 2시간이나 걸리고 말았던 것이다.

아아.

왜 그때라도 길라잡이를 켜지 않았느냐고?

차 몰면서 어떻게 켜나?

차가 섰을 때 빨리 켜면 된다고?

그것도 재빨라야지!

나는 2시에 청주를 빠져나왔지만, 서울에 이르렀을 때는 7시였다.

아아.

나는 언젠가 '우리는 청주를 벗어날 수 없다'라는 이야기를 쓴 적이 있지만, 거기만 가면 길을 헤매기 일쑤였다.

이번에 나는 거기서 나무나 가로등의 그림자를 보고 북쪽으로만 차를 몰았다.

내 왼쪽 등 뒤로 해가 비치고 있었으니까, 거의 똑바로만 가면 북쪽이었다. 그래서 청주, 진천을 지나 용인에 이르렀을 때는 콧노래까지 나올 판이었지만, 거기서 더는 북쪽 광주나 성남으로 빠져나가지 못하고 서쪽 수원으로만 끝도 없이 가는 바람에 두세 시간이 더 걸린 것이다. 밀려오는 차 속에서 나는 차를 오른쪽으로 꺾는 것도 어려웠다.

아아.

내 차에 길라잡이 따로 있는 게 아니라 손전화기에 깔려 있다. 하지만 야릇하게 라디오만 켜면 그 길라잡이가 말을 안 해서, 가끔 나는 그림만 보고 간다.

라디오를 끄면 되지 않느냐고?

그러면 전화가 오면, 내가 쉽게 받지를 못한다.

아아.

그리고 그날 청주에 갔던 일도 잘 안 되었다.
제기랄.
나는 그날 높게 집이 들어선 도시를 빠져나갈 수가 없었던 것이다. 어디가 어딘지, 멀리 높은 산이 펼쳐진 들판이 보이는 것도 아니고, 해가 내 왼쪽을 따라오는 것도 아니고, 바다나 강물이 보이는 것도 아니기 때문이었다. 마치 밀림을 빠져나가지 못하고 돌고 도는 짐승처럼 나는 길을 헤맸던 것이다.
아아.
아직 갈 길은 멀고 해는 저물었고, 나는 배가 고팠다.
'정말 오늘 안에 집에 닿을 수는 있을까?'
나는 조금 두렵고 짜증이 났다.
나는 몇 시간 동안 도시 안에 갇힌 꼴이 된 것이다.
아아.
공황 장애도 바로 그런 데서 생길 것 같았다.
아아.
그러니까 그런 곳에, 그런 데에 처음부터 빠지지 않도록 하는 게 가장 낫다.
그런데 사람이 살다보면, 이번처럼 그렇지 못할 때가 있다.
낯설어서, 무서워서, 어두워서, 더워서, 추워서, 몸이 찌뿌드드해서, 배가 고파서, 짜증이 나서, 넘어져서, 서둘러서, 좀팽이나 망나니를 만나서, 그런 까닭은 헤아릴 수도 없다.
그러니까 자꾸 따지지 말고, 그렇게 덜 되도록 하면 된다.
무얼 길게 이야기할 것도 없다.
나는 해가 갈수록 스스로를 더 믿게 되었다. 그건 내가 나라나 사람을 덜 믿게 되었다는 말이다. 남을 해코지하지 않고, 남도 좀 위해서 살고, 나도 보람차면 잘 사는 것이다.
어떻게?
사람 속에서는 거짓이 싹 트기 쉽다는 말이 있는데, 그래서 그런지 나는 사람을 거의 만나지 않는다. 그렇다고 집 안에만 처박혀 있는 것도 아니고, 열흘에 한 번꼴로 멀리 바닷가나 들에 갔다가 돌아오기도 하고, 하루에 한 번은 동네길이라도 걷다가 들어온다.

그런데 그날, 나는 도시에서 좀처럼 빠져나올 수가 없었다.

어지럽게 갈래가 진 길에서 나는 한 마리의 쥐처럼 헤매고 있었던 것이다. 그런 건 여느 삶 속에서도 일어났다. 나는 늘 눈치 빠르게 앞길을 잘 찾아가지 못했고, 뒤로 밀리고 밀린 끝에 내가 찾은 길이 이렇게 글을 쓰는 것이었다. 아무도 선뜻 나를 이끌어주지 않았고, 나는 그다음부터 홀로 책 속에 길을 찾고, 이야기를 썼다.

그래서 나는 삶의 길은 찾았지만, 아직 도시의 길은 헤맨다. 나는 전철을 탈 때도 마찬가지였고, 지하도를 빠져나갈 때도 마찬가지였다. 그런 미로 속에서 불이라도 나면, 많은 사람이 빠져나올 수가 없을 게다.

아아.

그로부터 며칠이 지났다.

나는 집에서 글이나 쓰고 있었다.

철새는 해와 별을 보고 북쪽으로 날아간다는데, 도시에서는 그 별빛마저 볼 수가 없다. 해? 해도 높은 집에 가려 잘 볼 수가 없다. 늘 그늘이 진 도시는 을씨년스럽기만 했다.

그날 도시의 가게에 불은 켜져 있었지만 손님은 보이지 않았으며, 길을 걷는 사람조차도 어둠에 이내 섞여 들었다. 차를 모는 사람도 한 치도 물러서지 않아서, 나는 조마조마했다.

아아.

그런 곳에서 우리는 살아야 할까?

아아.

그런 곳에서 내가 살아야 할까?

그렇다고 우리 모두 곧장 모든 걸 버리고 떠날 수는 없을 게다. 에리히 프롬도 말했지, 지금 있는 곳에서 완전히 존재하라고. 그 말은 가지려고 하지 말라, 는 말인데 가지면 가질수록 사람은 소외된다는 것이다. 내가 보기에도 도시는 그랬다.
그렇다면 도시 속에서 덜 가지고 살 수 있을까?
여러분이 믿든 안 믿든, 나는 그렇게 살았다.
나는 본디 돈은 잘 벌지도 못했고, 옷이나 신발, 가방 따위는 사지 않았고, 밖에 나가서 먹는 것이라고는 보름에 한 번 막국수나 자장면이었다. 머리카락도 집에서 아내가 깎아주었으며, 내 양복 몇 벌은 스무 해나 되었지만 아직 글을 가르치러 갈 때는 잘 입고 다닌다. 차는 열 해가 다 되도록 잘 타고 있고, 나는 사나흘에 한 번 비누로 머리를 감을 때 몸을 씻는다.
정말 사람답게 사는 나라로 만들 수는 없을까?
내가 사람답지 않다는 말이 아니라, 잘못 살고 있는 사람이 많다는 말이다. 돈이든 힘이든 자리든 사랑이든, 그들은 오로지 가지려고만 한다는 말이다.
그건 가지는 게 아니라, 베푸는 것이지.
그래서 나는 그들과 어울리지 않는다. 될 수 있으면 부딪치지도 않는다. 오로지 홀로 갔다가 혼자 돌아온다.
이런 말이 있다.

바르지 않은 것은 보지도 듣지도 말라.

그게 편하지만, 길에서 차를 몰고 가는데 어떻게 바르지 않은 것을 보지도 듣지도 않고 갈 수가 있겠는가? 그래서 그날 나는 고속도로를 피했던 것인데, 시골길을 달릴 때야 좋았지만 도시로 들어서고부터 얼도 잃고, 길도 잃고 헤맸던 것이다.
아아.
그런데 나는 돈이나 사랑처럼 이야기를 가지려는 게 아닐까?
나는 오로지 이야기만 썼고, 벌써 10권의 책이 나왔다.

그런데 내가 느끼기에 아내는 오직 이야기만 쓰는 것을 좋아하지 않는 것 같았다. 아니, 그 책이 팔려 돈을 벌었으면 아내가 좋아했을까?

나는 글을 너무 써서 눈도 침침하고, 머리도 띵했는데, 가끔 글을 가르치러 가는 것 말고는 할 일도 없었다. 그래서 나는 방도 닦고 빨래도 하고 숲길도 걸었지만, 나머지는 글만 썼다.

'그게 돈이나 자리나 사랑에 매달리는 것과 같을까?'

같다고?

그러면 나는 도시에서 무엇을 해야 하는가?

같지 않다고?

그러면 나는 도시에서 글만 쓰면 되는가?

아아.

그리고 이미 나는 말했다. 청주에 갔던 일도 잘 안 되었다고.

그러면 처음부터 나는 청주로 가려던 것이 썩 내키지 않았다는 말인데, 그래 그랬다. 그런데도 왜 갔는냐? 그건 아내도 늘 내게 묻는 말이다.

"세상 돌아가는 물정을 보려고."

내가 그렇게 말하면, 딸조차,

"아버지는 진작 좀 그렇게 했더라면 좋았을 텐데."

하고 말한다.

그러나 내가 그날 본 것은, 코로나19가 지나가면서 거의 모든 게 무너져 내려앉았다는 것이다. 하지만 내가 알기로는 이미 그 앞부터도 그랬다. 그 앞부터도 문을 닫는 가게는 많았다.

사람이 오로지 사고 쓰고 버려서, 뜨거워진 지구가 끝나가고 있다는 말이 나돌고 있다.

정말 우리는 언제까지 그렇게 살아야 할까?

너나 잘 살아라?

나는 글만 쓴다.

그러니까 그 꼴이라고?
그러나 어쩌겠나, 이렇게라도 살아야지. 그러면 그대는 즐겁게 보람차게 잘 살고 있나?
즐겁게는 살고 있다고?
부럽군. 보람차게는?
뭐가 보람찬데!
아아, 이쯤에서 우리 이야기는 끝날 것이다.
나는 모두 스스로 불을 밝혀 어두운 길을 헤쳐 나가길 바란다.
나도 글을 써서, 불을 밝히려 한다.
할 일이 없어서 쓴다고?
그건 여러분이 알아서 헤아리면 된다.
난 가만히 있어도 바쁘다.
안 바쁜 사람이 싸운다는 말도 있다.
나도 아직 도시에 살고 있다.
나는 올해 예순세 살로 글쟁이다.
언젠가는 시골로 갈 거라고?
그건 나도 모른다, 살아봐야 안다.

있는 곳에서 완전히 존재하도록 할 것.

이건 에리히 프롬의 말이라고 앞에서도 썼다.
1980년 배움터에서도 나는 완전히 존재하지 못한 채, 군대에 가서는 몹시 힘들었다. 1990년 이미 짝을 지은 나였지만, 집에서도 아직은 완전히 존재하지 못했기 때문에 힘들었고, 비로소 그나마 존재하게 된 것은 2010년쯤일 것이다.
그러면 요즘은 완전히 존재하며 살고 있느냐고?
나는 그런 것 같다.
내가 지난번에 청주에 갔을 때나, 가끔 다른 차와 부딪칠 때가 아니면 말이다.
아아.
“에이, 그러면 완전히 존재하는 게 아니네?”
누군가는 그렇게 비아냥거릴지도 모른다.
“내가 하느님인가?”
“‘쳇.”
“거기서 쳇, 이 왜 나오는가?”
“제기랄.”
“젠장.”
우리의 이야기는 그쯤에서 또 끝날 것이다.
완전히 존재한다는 말을 모르겠다고?
여러분이 그가 쓴 책을 읽으면 되지만, 한마디로 사람은 가지면 가질수록 스스로와 멀어진다는 것이다. 돈과 힘이 있는 것들이 잃을까봐 더 가지려고 억지를 부리는 것도 마찬가지다.
우리나라에 이런 말이 있다.

돈은 있으면 있는 대로, 없으면 없는 대로 사람은 잘 살아야 한다.

노랑이나 벼슬아치가 잘 사는 건 아니다.
나는 아주 힘들었을 때 오히려 이야기를 힘차게 썼으며, 청주에 가서 잘 안 되었던 일도 언젠가는 새옹지마의 이야기가 될지도 모른다.
화려한 빛과 소리는 눈과 귀를 멀게 한다는 말도 있다.
“그래서?”
누군가는 또 그렇게 물을 것이다.
내가 말해야 될 까닭이 있을까?
나는 이야기만 쓰겠다.
앞으로 나는 시골길을 한참 달리다가, 서울로 들어가는 고속도로가 보이면 이제 타기로 했다. 청주에 다녀온 뒤로, 나는 그게 빠르고 나을 것 같다고 깨달았기 때문이다.

그러면 청주에 다녀온 것도 오히려 새옹지마가 되었네.

- 끝 - 2023/1/22

아프리카 지킴이

나는 올해 일흔 살인데, 지난 열 해 동안 백 편의 짧은 이야기를 썼다.

여러분은 꽤 많이 썼다고 느끼겠지만, 이야기가 아주 짧다.

내가 그렇게 쓰는 까닭은 요사이는 이야기가 길면 잘 읽기 때문이다.

그래서 나는 이야기가 열 장을 안 되도록 쓰는데, 이번에도 마찬가지일 것이다.

나는 나이가 일흔 살쯤 되니 살 만큼 살았다는 생각도 들고, 더 살고 싶은 생각도 든다. 내가 여든까지 산다면 열 해, 아흔까지 산다면 스무 해가 남았다.

나는 글쟁이지만 시간을 때우기 위해 글도 쓴다.

언젠가부터 내가 사람을 위한 나라가 되기를 바란다, 라는 글에 남북한, 미국, 러시아, 일본, 중국도 써놓았지만 콩고, 우간다, 르완다도 써놓았는데, 그걸 통신망에 쓸 때마다 아프리카 지킴이라는 사람이 내 글을 옮겨서 다시 전하곤 했다.

콩고. 우간다, 르완다에서는 내전으로 지난 몇 십 해 동안 몇 백만 명이 숨졌다.

아아.
“멀리 떨어져있다고 그저 남의 일로 여기는 것은 옳은 일이 아니다.”
그렇게 말하는 사람도 있다.
그 아프리카 지킴이도 유럽이나 다른 나라 사람인 것 같았다.
그가 누구일까?
먼저, 그 사나이는 한 쉰 살쯤으로 보였고, 검은 색안경을 꼈고, 콧수염과 머리카락은 노랬다.
“한국에서 어떻게 콩고와 우간다, 르완다를 잘 아는가?”
통신망으로 그가 나에게 물었다.
“방송에서 보았다.”
“나는 케냐도 지켜보고 있다.”
그가 말했지만, 나는,
“케냐는 잘 모른다.”
하고는 물었다.
“그대는 유럽 사람인가?”
“그건 말하지 않겠다.”
“아프리카가 그렇게 된 것은 지난 100해 동안 유럽이 엉망진창으로 만들었기 때문이 아닌가?”
“그렇다.”
그는 내가 통신망에 콩고, 우간다, 르완다를 쓸 때마다 내 글을 그대로 이어받아서는 다른 데에도 전해주었다.
나는 그가 미국이나 유럽 쪽 정보원일지도 모른다는 생각이 들었다.
그의 귀는 박쥐와 닮았고, 눈매는 날카로웠으며, 검은 색안경과 긴 콧수염은 스스로를 감추고 있었다.

다국적 기업은 돈이 사람보다 먼저다. 그게 옳은가?

나는 통신망에 그렇게도 썼는데, 거기에도 가끔 그가 들어와서 좋다는 표식을 남기고 갔다.
콩고, 우간다, 르완다, 내전, 식민지, 유럽, 다국적 기업.
아무래도 그 사이에 그와 내가 이어지는 줄이 있을 것 같았다.
그게 무엇일까?
콩고는 신소재에 들어가는 희토류 광물인 코발트, 우간다와 르완다는 리튬 매장량이 중국 다음으로 많다. 그들의 모진 내전도 다른 종족끼리 그 광물을 먼저 차지하기 위한 싸움이었다.
아아.
나는 그 아프리카 지킴이의 뒤에 다국적 기업이 있는 건 아닐까, 하는 생각도 들었다.
그러나 그가 나처럼 아프리카가 안타까워서 그냥 통신망에 글을 쓸 수도 있다.
어쨌든 그는 그 셋 가운데 하나일 것이다.
야릇하게도 내가 콩고, 우간다, 르완다도 사람을 위한 나라가 되기를 바란다고 쓰기만 쓰면, 그가 어느새 통신망에 들어와 있었다.
콩고, 우간다, 르완다의 아이들이 몇 십 미터나 되는 구덩이를 파고 내려가 코발트를 캔다. 그 구덩이 속으로 언제 흙더미가 무너져 내릴지 모른다.
아아.
그는 어느 쪽일까?
정말 아프리카를 위한 사람일까, 아니면 그의 뒤에는 어떤 힘과 돈이 있을까?
나는 아프리카에서 15000킬로 떨어져 있는 대한민국에 살고 있다. 나는 그가 어느 나라 사람인지조차 아직 모른다.
나는 책이 거의 팔리지 않는 일흔 살의 글쟁이다.
많이 팔리면 돈도 잘 벌고 좋겠지만, 그렇지 않다면 할 수 없는 것이다. 그래서 나는 그런 이야기나 쓰고 있었다.
사진으로 그는 쉰 살쯤으로 보였지만, 예순일지도 모른다.
내 통신망에는 이야기책 겉장이 올라가 있으니, 그는 내 얼굴은 모를 것이다. 아니, 그가 정보원이라면 어떻게든 알아냈을 수도 있다.
그래, 어떻게든 그는 그대로, 나는 나대로 사람을 위해서 살면 된다.
내가 그를 믿는 건 아니지만, 그렇기를 바란다는 말이다. 나는 한 번도 그가 쓴 글을 전하거나, 좋다고도 하지 않았다.

한 쪽은 먹을 것이 없는데, 한 쪽은 먹을 것이 남아돌아 버린다.
한 쪽은 밀이 잘 자라서 남아도는 시간에 총과 쇠를 만들게 되었고, 돌림병에도 먼저 걸려 면역성이 생겨서 그렇게 잘살게 되었다고?
하하하.
그러면 제 나라에서 즐겁게 잘살면 되지, 뭐가 모자라서 가난한 나라에 쳐들어가서 사람을 죽이고 다 빼앗아 오나! 그들은 그렇게 남미와 아시아와 아프리카를 짓밟았다. 그걸 그대로 따라서 한 게 왜(일본)다.

나는 그렇게 또 통신망에 썼다.
하지만 너무 길어서 하하하, 왜, 는 빼야 겨우 써넣을 수가 있었다.
하하하.
나는 그렇게 쓰고 나니 왠지 속이 후련했다.
내가 그렇게 쓰자 누군가,

우리나라도 베트남에 똑같이 했다.

라고 썼다.

그래서 나는,

우리나라는 베트남을 뺏으려고 쳐들어간 것은 아닙니다.

라고 썼지만, 뭔가 모자라고, 떳떳하지 않은 것 같았다.
아아.
'나는 글쟁이답게 글을 쓰고 있는가?'
잘 알 수가 없었지만, 나는 버릇처럼 글을 쓰고 있었다.
서울은 다시 시뿌연 먼지에 덮여 답답했다.
"유럽은 이렇지는 않던데."
지난달 거기에 다녀온 사람이 말했다.
우리나라 길에는 모두 얼굴을 찡그린 사람과 차만 다니고 있는 듯했다.
'우리는 언제쯤 그런 것이 사라질까?'
모든 먼지의 반은 미국과 중국에서, 나머지는 유럽과 아시아에서 내뿜는다고 한다.
아아.
그렇다면 아프리카와 남미는 아무 잘못이 없다.
우리나라 먼지의 반은 중국에서 날아온다.
그렇다면 우리 탓도 반이라는 말이다.
아아.
그렇다면 우리는 어떻게 해야 할까?

집 부수고 짓지 말고, 정유 공장 석탄 발전소 없애고, 전기 차 반값에 팔고, 나무 더 심어라!

나는 또 그렇게 글을 썼다.
내가 여섯 시간 앞, 똑같이 써넣은 콩고, 우간다, 르완다 글에 그 아프리카 지킴이는 어김없이 들어와 있었다.
거기에도 미국, 유럽, 아시아에서 들어온 쓰레기더미 타는 냄새가 나겠지.
아아.
그들 나라에서 캐간 코발트와 리튬이 전자 쓰레기가 되어 다시 그들 나라로 돌아간 것이다.
아아.
그런데 어젯밤 나는 하늘에서 야릇한 불빛 두 개를 보았다, 고 통신망에 글을 썼다.
처음에는 나는 그게 큰 별인가 싶었지만, 아무리 쳐다보아도 뿌연 하늘에 다른 별은 뜨지 않았다. 그리고 그것은 마치 우주선이나 인공위성처럼 길쭉했고, 별보다는 훨씬 또렷하게 빛났다. 며칠 앞에는 미국의 하늘에 떠 있던 중국 정찰 풍선을 미국이 유도탄을 쏘아 떨어뜨렸고, 어제는 알래스카 하늘에 떠 있던 다른 물체를 또 떨어뜨렸다는데, 내가 어제 본 것은 북서쪽 밤하늘이었다. 우리나라에서 알래스카는 북동쪽에 있으니까 다른 것일 게다. 그것도 두 개나 막대처럼 생긴 것이 밤하늘에서 빛나고 있다고, 내가 통신망에 썼는데도 사람들은 그다지 읽지도 않는 것 같았다.
'나라에서는 이미 알고 있었을까? 그게 미국이나 중국에서 날아온 정찰 위성일까?'
이튿날 아침, 나는 온갖 생각이 다 들어서 어젯밤 글을 썼던 통신망을 열어보았는데, 이게 열리지가 않았다. 그래서 손전화기로 해보고, 또 다른 이름을 써서 해보았지만 내가 글을 썼던 바로 그 통신망만 열리지 않았다.
'아아, 이게 어떻게 된 일일까?'
내가 숨을 쉬기가 답답할 만큼 하늘은 더 시뿌예져 있었다.
우리나라에서 북서쪽 하늘이라면 바로 중국 쪽이다.
그리고 어제 밤하늘에서 내가 보았던 그 빛나던 두 막대처럼 생긴 것은, 며칠 앞 바로 미국 하늘에 떠 있다고 방송에 나왔던 중국 정찰 풍선 밑에 달린 태양열 발전기와 같은 모양이었다.
그런 것도 다 다른 나라를 지켜보면서, 어떻게든 힘센 제 나라 말을 듣게 만들려고 하는 것이다.
내 말이 틀렸는가?
그렇지는 않을 것이다.
그 아프리카 지킴이도 틀림없이 나와 같은 생각을 할 것이다.
그래서 나는 통신망을 다른 곳으로 바꾸어보았는데, 거기는 글보다 그림이 많이 올라와 있었지만, 울며 겨자 먹기였다.
그런데 방송을 보니까 오늘 새벽에도 캐나다 하늘에 원통으로 생긴 물체가 나타나 북미 항공 사령부가 격추시켰다고 한다. 내가 어젯밤 보았던 바로 그 빛나던 막대처럼 생긴 것과 같은 것일 게다.
그런데 우리나라에서는 왜 조용할까?
'뭔가 야릇한데?'
나는 생각에 잠겼다.

내 통신망에 누가 디도스 공격을 하나?

내가 그렇게 쓰고 난 다음 날 아침, 되지 않던 통신망이 깔끔하게 열렸다.
'야릇하군.'
그러니까 나와 다르게 생각하는 것까지야 괜찮지만, 어떻게든 저희만 잘살려는 것들이 있다는 것이다.
그게 무슨 말이냐고?
다른 나라나 사람은 안 생각하고, 제 배만 불리려는 나라나 사람이 많다는 말이다.
그게 무슨 말이냐고?
덜 떨어진 것들이 많다는 말이다.

그게 무슨 말이냐고?
모자라는 것들이 많다는 말이다.
그게 무스 말이냐고?
좀스러운 것들이 많다는 말이다.
그게 무슨 말이냐고?
막된 것들이 많다는 말이다.
그게 무슨 말이냐고?
불쌍한 것들이 많다는 말이다.
그게 무슨 말이냐고?
한쪽은 선업을 쌓고 있는데, 한쪽은 악업을 쌓고 있으니 불쌍하다는 말이다!
내가 그저께 밤 나타났다던 막대 모양의 빛나던 물체 이야기를 영어로 옮겨놓았더니, 다른 나라에서 오히려 많이 읽었다. 우리나라에서도 틀림없이 알았을 텐데, 쉬쉬하는 것 같았다.
아아.
감출 게 따로 있지, 어떻게 밤하늘에 빤히 보이던, 하나도 아니고 두 개나 빛이 나던 것을 감춘다는 말인가!
'그래, 감추려면 감추어라.'
나는 그렇게 생각했다.
'그것 말고도 글쟁이가 할 일은 많다.'
오늘도 아프리카 지킴이는 어김없이 내 통신망에 들어왔다 나갔다.
지진이 났던 튀르키예와 시리아에서 숨진 사람이 이미 3만 명을 넘어섰다.
아아.
지난 서른 해 동안 아프리카에서는 300만 명이 숨졌다.
그게 모두 오로지 그들 탓인가?
그 뒤에는 힘과 돈과 사람과 코발트와 리튬이 있다.
아아.

오늘 아침에는 또 미국에서 또 팔각형 모양의 물체를 격추시켰다고 한다. 거기엔 띠가 둘러 쳐져 있었다고 하는데, 내가 본 것도 그랬다. 그러자 중국도 네 해 앞에 전투기로 미국 정찰 풍선을 격추시켰다는 방송이 나왔다.

그래, 그들끼리 힘을 겨루고 있을 것이다.

100해 앞에는 영국과 프랑스, 벨기에, 도이칠란트가 아프리카를 제멋대로 나누어 가졌다.

나는 그 아프리카 지킴이가 나와 같은 생각을 하는 사람일 것이라고 믿기로 했다.

- 끝 - 2023/2/13

꿈 길 보람

그가 멀리 달아났다고 해서 돌아오지 않는다는 말은 아닐 것이다.
그는 언젠가 돌아올 테고, 우리는 그렇게 믿고 있었다.
우리가 그를 따라갈 수는 없지만, 그는 돌아올 수 있다.
그와 우리는 한 번도 만난 적이 없지만, 서로 믿듯이 말이다.
그가 한 말이라고는,

사람답게 살자.

는 말 한마디뿐이었다.
그런데 그가 달아나야 했다면, 어디가 잘못된 것일까?
아니, 그가 달아난 것이 아니라, 오히려 우리가 그에게서 달아난 것이 아닐까? 그래서 그가 발붙일 곳이 없어서 돌아오지 않았다는 것이 우리를 더 기다리게 만들었다?
그는 곧 돌아올 것이다.
왜?
우리가 그를 찾을 테니까 말이다.

그를 내버려두라고?
그래, 그게 나을지도 모르겠다. 그는 알아서 돌아올 것이다, 늘 우리 곁에 있었으니까.
그렇지만 그가 마침내 보이지 않을 때, 우리는 그를 찾게 될 것이다.
우리는 새로운 꿈과 길을 찾는데 지쳐 있었다.
그래서 더욱 그를 기다리는지도 몰랐다.
"그러면 찾아 나서지 그래?"
누군가는 그렇게 말할 것이다.
그래, 우리도 그걸 알고는 있었지만, 아무도 선뜻 나서지는 않았다. 아니, 이미 우리는 그럴 힘마저 잃은 듯했다.
아아.
그가 우리에게 먼저 올 수는 없을까?
"그대가 찾지 않는데, 그가 어떻게 오겠는가?"
아까 그 사람이 다시 물었다고 치자.
"하지만."
우리는 애타게 그를 기다리고 있었다.
그는 왜 오지 않는 걸까?
그도 지쳐서 오지 않는다면? 사람 속에 있던 그가 지쳐서 말이다.
아아.
우리가 그를 속이고 또 속였다면, 그는 돌아오고 싶지 않을 것이다.
아아.
그는 우리가 사람답게 살도록 하고 싶었을 게다.
그가 사라지고 난 다음 우리는 알게 되었으니까.
우리는 왜 미처 그걸 몰랐을까?
어리석어서?
알고 싶지 않아서?
왜?

우리가 쌓아놓은 삶이 무너질까봐?
우리가 슬기로웠다면, 그를 떠나보내지는 않았을 것이다.
아아.
그는 어디에서 무엇을 하고 있을까?
그가 홀로 쓸쓸히 물결이 치는 바닷가는 걷는다고 해도, 우리는 그를 알아볼 수 없을 것이다.
왜?
우리는 이미 그를 매몰차게 내몰았으니까.
우리가 그를 못 본 척했으니까.
그가 누구냐고?
꿈, 길, 보람.
“셋이나 되네?”
여러분은 놀랄 것이다.
그러면 이제부터 그를 그들이라고 부르겠다.

그들은 모두 우리에게서 멀어졌다.
우리가 돌보지 않았기에 달아났고, 돌아올 틈도 우리에게 없었다.
“나에게 꿈이 있었던가?”
“우리에게 길이 있었던가?”
“너희에게 보람이 있었던가?”
이제 우리는 그렇게 되묻고 있었다.
언제부터 우리에게 꿈과 길과 보람이 사라졌을까?
“꿈을 잃은 지는 꽤 오래된 것 같다.”
“길은 아예 보이지도 않았다.”
그러면 하는 일에 보람은 있는가?
“그렇지 않다. 하는 수 없이 일한다.”
그렇다면 그만둘 수도 없다는 말인데?
“그렇다.”

우리는 거의 다 그렇게 살고 있었다.
"그들이 다시 돌아올까요?"
그건 알 수 없다.
아아.
우리는 비틀거리고 있었다.
그렇지 않은 척 길을 걷고 있었지만, 우리에게 남은 힘은 없었다. 다만, 그렇지 않은 척 서로를 속이고 있었다.
우리는 언제까지 버틸 수 있을까?
이제 그들이 빨리 돌아오지 않는다면, 우리는 더는 버틸 수 없을 것이다.
그들은 한때 끊임없이 우리에게 꿈을 불어넣었지만, 우리는 콧방귀만 뀌었다.
아아.

약자는 솔직해질 수 없다.

이건 로슈푸코의 말이다.
바로 우리를 두고 한 말이 아닐까?
아아.
우리는 언제까지 우리를, 아니 스스로를 속이며 살아야 하는가!
꿈과 길과 보람을 이야기하던 그들은 힘찼다.
그러나 우리는 그들에게서 등을 돌렸다.
왜?
우리는 스스로를 속이며, 비웃고 떠들며 처먹는 것이 더 쉬웠으니까.
그들과 꿈과 길을 이야기하며 걸어가는 것보다 저 잘난 척을 먼저 하고 싶었을 테니까 말이다. 그렇지 않았다고? 그런 사람도 있기는 있을 테지만, 그렇지 않은 사람이 더 많았을 것이다. 그렇지 않고서야 어떻게 우리가 사는 곳이 이렇게 되었다는 말인가!
그들이 아무리 이야기를 해도 우리는 듣지 않았다.

처음에 그가 무슨 이야기를 해도 우리는 들으려고 하지 않았다.
왜?
그의 말을 들으면 우리는 못나고 어리석게 굴고 있다는 것을 들추어야 했으니까, 죽어도 그것만은 드러낼 수 없었으니까!
그런데 그는 그렇지 않았다.
늘 그의 모습을 있는 그대로 드러냈다.
외로우면 외로운 대로, 못났으면 못난 대로, 어리석으면 어리석은 대로, 가난하면 가난한 대로, 힘들면 힘든 대로, 어려우면 어려운 대로 말이다. 그 속에서도 그는 우리에게 꿈과 길과 보람을 이야기했다. 그리고 지친 그는 그 길을 찾아 홀로 떠나간 것이다.
얼마 동안 우리와 그는 하나로 섞일 수 없을 것이다.
아니, 이미 꽤 오랫동안 우리는 그를 찾지 않았다. 그리고 그는 이제 우리에게 돌아오지 않을지도 모른다.
아아.
그러면서도 우리는 언제까지 우리끼리 싸우며 뜯고 또 히죽거려야 하나?
언제까지 우리는 그를 비웃어야 하나? 그게 또 얼마나 못난 짓인지 우리는 알고나 있을까?
아아.
그래, 그렇게 언제까지 두 패로 나뉘어 살자고?
한쪽은 선업을 쌓고 있는데, 한쪽을 악업을 쌓고 있는 것이 얼마나 불쌍하고 어리석은가!
그렇지 않다고?
그렇다면 우리는 언제까지 그렇게 살 수밖에 없다.
그렇다고?

그러면 우리는 다시 꿈과 길과 보람을 찾아 나서야지.
이제 우리에게 남은 길은 그 두 길 가운데 하나다.
우리는 어느 쪽 길을 걸어가야 할까?
두 번 다시 어리석게 굴지 않기 위해서, 우리에게 남은 길은 이제 하나뿐이다.
아아.

나는 그를 부르기로 했다.
홀로 쓸쓸히 견딜 수가 없었기 때문에 나는 그를 데리러 갔다.
"돌아올 수 있겠소?"
"글쎄."
그의 말은 시원찮았다.
"무엇 때문인지?"
"내가 왜 거기로 돌아가야 한다는 말인가."
그는 내키지 않는 것이다.
"우리가 쓸쓸해서 견딜 수가 없는데."
"우리가 아니라 자네겠지."
그의 말이 날카롭게 내 가슴을 찔렀다.
"그래, 그렇다고 하고. 그래, 돌아올 수는 없겠소?"
나는 다시 그에게 물었다.
"글쎄."
그가 다시 미덥잖게 말했다.
"너무 오래 자지 않나?"
그가 뜬금없이 말했다.
"무슨 소리인지?"
난 알 수 없었다.
"자네가 너무 오래 누워 있지는 않나, 말이야."
그러고 보니 나는 저녁 일곱 시쯤 방송을 보며 누워서는 다음 날 아침 일곱 시가 되어서야 겨우 일어나곤 했다.
"그러면 열두 시간이나 누워 있다는 말이잖아?"
그가 날카롭게 나를 꿰뚫어 보고 있었다.
아아.
"그렇다."
나는 고개를 숙일 수밖에 없었다.
"먼저 좀 더 일찍 일어나도록 하게. 그러면 길을 찾을 테니."
그가 길 이야기를 꺼냈다.
"하루에 반을 누워서 무슨 꿈이 이루어지겠나? 다 헛꿈을 꾸는 게지."
헛꿈? 그래, 나는 거기에 시달렸다. 그래서 그런지 자고 나서도 개운하지가 않았다.
아아.
그는 나를 꿰뚤어 보고 있었다.
"그래, 돌아오겠다는 말인가, 그렇지 않겠다는 말인가?"
내가 물었다.
"돌아가지 않겠네. 아니 가봐야 내가 할 일은 없을 게야."
"스스로 깨치라는 말인가, 우리는 이렇게 내버려두고?"
"내버려둔 건 너희지, 내가 아니야."
그래, 그는 늘 꿈과 길과 보람을 이야기하고 있었으니까.
아아.
나는 괴로웠다.
그래도 어쩌겠나, 우리를 위해서, 아니 나를 위해서라면 그를 데리고 가야지.
"함께 가자."
"나는 가지 않는다. 그대가 가라."
그가 차갑게 말했다.
"이루어질 수 없는 꿈은 잠자리에서나 꾸는 거라네. 차갑게 식은 길도 걷다보면 땀이 날 테니."
그는 자꾸 내가 알 수 없는 말을 했다.
좀 더 일찍 길을 걸어라?
아아.
나에게 그럴 힘이라도 남아 있을까?
나는 마침내 그를 데리고 오지 못했다.
하지만 홀로 돌아오는 길은 쓸쓸하지 않았다. 나는 길을 걷고 있었던 게다.
아아.
그러면 내가 아직 찾지 못한 것이 꿈과 보람이었다.
나에게 꿈과 보람이 남아 있을까?
"짓지도 않은 보람을 어디서 찾겠는가!"
그는 그렇게 말했다.
그러면 꿈은?
"깨어나면, 나쁜 꿈이라도 사라질 게야."
"그러면 좋은 꿈은?"
"그대가 꾸게. 좋은 일을 하지 않고 어떻게 좋은 꿈을 꾸겠나?"
그가 마지막으로 한 말이었다.
그러니까 보람을 찾게, 좋은 꿈을 꾸게 좋은 일을 하라는 말이었다.
좋은 일?
그게 무엇일까?
나에게도 남에게도 좋은 일.
아아.
나는 괴로워서 고개를 흔들었다.
아아.

그들은 우리에게 돌아오지 않을 것이다.
꿈, 길, 보람.

그건 우리가 찾는 것이지.

- 끝 -　2023/2/18

유령 도시

유령 도시.
그가 파란 하늘을 본 게 이레 만이었다.
그가 어제 동해로 떠난 것도 그 갑갑했던 서울을 벗어나기 위해서였다.
하지만 바다도 시뿌옇게 잠들어 있었다. 물결마저 일렁이지 않았고, 하늘은 뿌옇게 바다 위로 내려앉아 있었다.
"이런 바다는 처음이네."
그의 아내가 먼저 말했다.
그도 고개를 끄덕였다.
그래도 그날 볼 만한 것은 눈 내린 설악산뿐이었다.
"저거 하나라도 볼 만하군."
그가 애써 그렇게 말했다.
그래, 서울에서는 볼 수 없는 눈 덮인 산이 거기에 있었다.
파란 하늘을 보면 눈이 맑아지지만, 시뿌연 길만 바라보아 그런지 그는 어제부터 왼쪽 눈알이 아팠다.
하지만 그는,

'글을 너무 써서 그런가?'
하며 컴퓨터를 탓했다.

이튿날 새벽에 서울에도 비가 조금 내리고 낮부터 하늘이 맑아졌다.

그는 그날 아침 7시, 간밤에 동해에서 늦게 돌아와 차를 세울 곳이 없어서 집 밖 길가에 세워놓았는데, 다시 집 안 쪽에 대었다. 그는 뿌연 먼지로 뒤덮인 차가 빗물에 씻긴 것을 보았지만, 그때까지는 아직 하늘도 뿌예서 그다지 말끔하게 느껴지지는 않았다.

그는 밤에 잘 때도 똑바로 누워서는 못 자고, 늘 비스듬히 누워서 잤는데 어젯밤인가는 왼팔에 왼쪽 얼굴을 너무 기대고 자서 눈알이 아픈 것 같기도 했다.

그럴 때는 그가 글이라도 덜 써야 할 텐데, 빙글빙글 방을 맴돌거나 아무 하는 일 없이 괜히 집 안을 이리저리 왔다 갔다 하다가는 마침내 컴퓨터 앞에 서서 글을 조금씩 쓰는 것이었다.

아아.

"머리 좀 감아. 수염 좀 깎아."

그의 아내가 아무리 이야기를 해도, 그는 그따위 것은 거의 이레에 한 번 씻고 깎았다.

아아.

그러니까 이레에 한 번 겨우 하늘이 맑아지는 것이나, 그가 머리카락을 씻고 수염을 깎는 것이 야릇하게 겹친다고나 할까?

아아.

"사람이 그래서야."

그의 아내가 아무리 타박을 놓아도, 그는 마음에 두지 않았다.

그런데 몇 해 앞만 하더라도 그는 사나흘에 한 번은 씻고 깎았다. 하지만 그게 날이 갈수록 조금씩 길어지고 만 것이다.

마을은 유령 도시 같았다.

길을 걷는 이는 아무도 없고, 그만 홀로 털장갑을 끼고 두툼한 겉

옷을 입고 걸었다.
'하늘이 맑아졌는데도 그들은 어디로 갔을까?'
어제부터 그의 방 시계는 저녁 7시만 되면 멈추었다.
아아.
그가 툭 때리면 시계는 다시 갔지만, 야릇하게도 그 시간만 되면 멈추었다.
이튿날 아침 7시, 시계는 다시 멈추어 있었다.
그는 시계를 툭 쳤다.
그런데 이번에는 몇 번이나 쳐도 시계가 가지 않아 그는 뚜껑을 열고는 초침을 위로 살짝 당겨놓고는 툭 쳤다. 그러자 시계가 다시 움직였다.
'귀찮게.'
그래도 그는 그제야 마음이 놓인다는 듯 시계를 창가에 놓고는 컴퓨터를 켰다.
서울은 아침이 다시 영하로 떨어지면서, 하늘은 맑았다.
월요일 아침인데도 길에는 사람도 차도 거의 없었다.
'야릇하군.'
그가 고개를 갸우뚱했다.
'모두 어디로 간 것일까? 집 안에만 처박혀 있나?'
가끔 그의 집 안까지 시끄럽게 들리던 차 소리마저 들리지 않았다.
'바다는 살아났을까?'
그가 어저께 그 뿌옇던 바다를 떠올려 보았다.
"어디 가는데?"
그가 밖으로 나가는 그의 아내에게 물었다.
"머리 손질하러."
"그래?"
그는 거기는 사람이 있을까, 싶었다.
아닌 게 아니라 낮이 되면서 길에는 차가 조금씩 다니고 있기는 있었다.
'해도 났군.'
그는 뒤늦게 나타난 햇살을 바라보았다.
하지만 차는 뜨문뜨문 줄어들고 있었고, 햇살도 더는 세어지지 않았다.
아아.
텅 빈 도시.
그는 1000만 명이 살고 있는 서울에 길을 걷는 사람은 1만 명이 될까, 싶었다.
'모두 어디를 갔을까?'
아아.
그는 그때 시계를 보았다.
낮 12시.
그리고 그는 설마 저 시계가 오늘도 저녁 7시에 멈추지는 않겠지, 싶었다.
어딘가 모르게 모든 것이 조마조마했다.
차가 다니지 않아도, 가만히 있어도, 전기나 수도 청구서가 하나 덜 와도, 그는 조마조마했다.
'무엇 때문에, 왜!'
그는 이레 앞 그 시뿌옇던 날 밤 7시쯤, 하늘에 떠 있던 야릇한 두 물체를 보았다. 그건 미국과 캐나다 하늘에 나타났다던 원통 같은 모양에 띠를 두른 위성 같았다. 그렇게 시뿌연 하늘에 별이 보일 리도 없어서 그는 몇 번이나 북서쪽 하늘을 바라보았지만, 그건 틀림없이 가운데 검을 띠를 두른 하얀 막대처럼 생긴 물체였다, 우주선인지 위성인지 괴물체인지는 알 수 없었지만 말이다. 그날 그가 그것을 사진으로 찍지는 못했다. 왜냐하면 거기는 높은 벼슬아치가 사는 숲 속이라서 괜히 사진을 잘못 찍다가는 거기를 지키는 사람에게 들킬지도 몰랐기 때문이었다.

하지만 그는 그 이야기를 통신망에 썼는데, 야릇하게 다른 나라 사람이 많이 읽었다.
'우리나라 사람은 그걸 보지도 못했나?'
그는 그런 생각마저 들었다.
이 유령 같은 도시에는 그런 야릇한 일들이 일어나고 있는데도 말이다.
지난겨울 영하 18도로 떨어졌을 때 서울은 더했다.
길에는 사람 하나 보이지 않았으며, 그만 홀로 걸었다.
'이게 유령 도시가 아니면, 뭐가 유령 도시람?'
그는 추워서 몸을 움츠릴 대로 움츠리면서도 그렇게 생각했다.
이제 그의 방 시계는 낮 1시를 지나고 있었다.
길에 차는 아주 천천히 몇 대만 다니고 있었고, 오로지 한 사람만 걸어가고 있었다. 햇살은 더는 따뜻해지지 못하고, 벌써 저녁 채비를 하는 듯했다.
그의 눈앞에는 몇 만 채의 높은 집이 펼쳐져 있었지만, 얼굴을 내밀거나 사람 그림자조차 보이지 않았다. 작고 네모만 창문만 몇 십만 개가 뚫린 채 그를 바라보고 있었지만, 사람은 보이지 않았다.
아아.
유령 도시.
이게 한낮의 유령 도시가 아니면, 무엇이 유령 도시란 말일까!
낮 4시 해는 기울고 있었다.
한 줄기 빛이라면, 길 건너 높은 집 담벼락에 위쪽에 남아 있는 햇살이었다.
그의 방 시계는 아직 가고 있었다.
저녁 7시까지는 세 시간이 남아 있었다.
"우체국 문을 닫으려면 아직 한 시간이 남았네?"
그는 그렇게 그의 아내에게 말을 던지고는 부치려는 봉투를 집어 들고 집을 나왔다.

해가 기울면서 날이 차서, 그는 털장갑을 끼고 두꺼운 덧옷에 목을 파묻었다.
그가 우체국까지 걸어가면서 만난 사람은 몇 달 만에 처음 보는 옆집 사내와 빗자루로 땅을 쓸던 관리원과 얼굴은 안 보이고 시동을 건 차에 타고 있던 사람 셋뿐이었다. 그리고 1층에 있는 우체국 쪽 섬돌을 내려가는데 거기를 막아놓아서, 그는 하는 수 없이 바로 옆 시커먼 7층 건물 안으로 들어가 내려가야 했다. 거기는 어쩐지 들어가기가 싫어서 그는 늘 바깥 섬돌을 딛고 내려가 다시 우체국 안으로 들어가곤 했던 것이다. 그 안을 들어가자마자 그를 빤히 쳐다보는 건 천장에 달린 두 대의 감시 카메라였으며, 옷을 고치는 가게와 그림을 그리는 곳에 사람은 없고 불은 꺼져 있어서 그는 서둘러 2층, 1층으로 내려갔다.
우체국 안에는 무엇을 부치려는 한 사람이 있을 뿐이었다.
그는 왠지 그 비딱하게 서 있는 사람 뒤에 서는 게 내키지 않아서 좁은 우체국 안으로 몇 걸음 맴돌았다.
"어떻게 부치시겠어요?"
안경을 낀 우체국 사내가 물었다.
"빠른 등기로 해주세요."
그가 두꺼운 서류 봉투를 저울 위에 올려놓고는 덧옷 주머니에서 맞돈 카드를 꺼내 작고 새까만 단말기에 꽂았다.
"7000원입니다."
그 단말기 속에서 가냘픈 계집의 목소리가 흘러나왔다.
"카드를 빼주세요."
그는 그녀가 시키는 대로 맞돈 카드를 뺐다.
길은 걷는 이의 것이고, 문화는 사랑하는 사람의 것이지만, 어둠이 내리는 길에는 사람의 모습을 거의 볼 수 없었다.
그의 방 시계는 저녁 6시를 가리키고 있었다.
그는 저게 한 시간 뒤에도 갈까, 아니면 멈출까 기다려졌다.

그날 저녁 8시쯤 그가 시계를 보았을 때, 그건 멈추어 있었다. 그래서 그가 시계를 툭 쳤더니 다시 갔다.
'건전지가 없나?'
그는 내일 아침에도 시계가 멈추면, 건전지를 갈아야겠다고 생각했다.
'하지만 이게 몇 번째야?'
그는 고개를 갸우뚱했다.
이튿날, 그는 아침 6시에 일어나 어디 볼일이 있어 갔다.
날은 몹시 찼다.
그가 일을 마치고 돌아오는 전철을 탔을 때 탄 사람도 적었고, 또 큰 역에서 멈출 때마다 타는 사람도 한두 사람뿐이었다.
그런데, 전철 안에서 다른 칸으로 가는 문 바로 위에,

777716

이라는 숫자가 보였다.
그건 그가 타고 있는 전철의 번호를 말하는 것이었는데, 바로 그 옆 동그라미 안에도 7이라고 표시되어 있었다, 일곱 번째 칸이라는 말이었다. 그러니까 그날 그의 눈에 보이는 건 온통 7이라는 숫자뿐이었다.
아아.
그러고 보니 아까 그가 볼일을 보러 들어간 곳도 7호관이었다.
아아.
그리고 그가 찬바람에 손과 귀가 시려 움츠린 채 집으로 돌아왔을 때, 시계는 또 7시에 멈추어 있었다.
아아.
그는 이제 더는 시계를 툭 치지 않았다.
이제 그가 할 수 있는 남은 일이란, 건전지를 갈아보는 것뿐이었다.

그래서 그는 집에 있던 새 건전지를 따서 시계에 집어넣었다. 그러자 시곗바늘이 천천히 움직였다.
'뭐야, 건전지 탓이었어?'
그가 조금 마음을 놓았다.
어디선가 봄이 오고 있는지는 몰랐지만, 마을은 조용히 뿌옇게 내려앉아 있었다.
이튿날 아침에도 시계는 잘 가고 있었다.
'그래, 이제 됐군.'
그는 그렇게 생각하고 창문을 열어보았는데, 온통 시뿌연 먼지가 하늘과 동네에 자욱하게 깔려 있었다.
'유령 도시 같군.'
제기랄.
길에는 차가 드문드문 다니고 있었다.
"날이 풀려야 할 텐데. 하늘도 좀 맑아지고 말이야."
그는 푸념을 늘어놓았다.
며칠 앞부터 라디오나 텔레비전에서는 지루하기 짝이 없는 같은 말만 되풀이하고 있었다. 아니, 그의 귀에는 그게 몇 달은, 몇 해는 그랬던 것 같았다.
아아.
그때, 그의 손전화기가 울렸다.
"여보세요? 김 길동 선생님이십니까?"
"예, 그렇습니다만."
그가 손전화기에 바짝 귀를 갖다 붙였다.
"보내신 서류 잘 받아보았습니다. 이번 봄 학기부터 저희 배움터에서 가르쳐주실 수 있겠습니까?"
"아, 예, 가르칠 수 있습니다."
그는 전화를 끊고, 마음이 들떴다.
그가 그 추웠던 며칠 앞 우체국에 가서 두꺼운 서류를 보냈던, 그리고 그가 어제 찾아갔던 그 배움터 7호관에서 전화가 온 것이다.
아아.
그는 비로소 마음이 좀 놓이는 것 같았다.
'아, 그래 이제 곧 봄이 올 거야.'
그렇게 을씨년스러웠던 길에는 갑자기 차들이 늘어나 달리고 있었고, 그의 눈앞에 펼쳐진 몇 만 채의 높은 집 벽에서 햇살이 빛나고 있었다.

- 끝 - 2023/2/24

그는 할 만큼 했다.

그는 할 만큼 했다.
나도 그가 할 만큼은 했다고 보았다.
그런데 사람 사는 데는 바뀌지 않았다.
'그렇다면?'
나는 어떻게든 그가 나아갈 길을 펼쳐야 했다.
나는 그의 눈에만 보이고 여느 사람의 눈에는 보이지 않는다. 그는 내 아들로 쉰 살이지만, 내가 아흔 살이니 늦게 나은 셈이다.
그런데 야릇하게 그는 뭐든,
"저 혼자 해볼 테니, 제발 하늘에서 내려오지 마세요."
하며 내가 도와주려고 해도 손사래를 친다.
그런 그가 요즘 어려움을 만난 것이다.
하늘도 시뿌옇고, 아침마다 뛰다시피 붐비는 전철이나 버스를 타야 하는 나라에 그가 살기 때문이다. 거기는 다른 나라보다 제 목숨을 끊는 사람이 훨씬 많고, 일하다가도 다치기 일쑤이고, 가난한 늙은이도 많다. 그래서 내가 그를 거기로 보낸 것인데, 처음에는 그도.
"나라가 아주 힘차고, 마음에 듭니다."
라고 말했지만, 요즘은,

“참 살기가 힘든 나라입니다. 돈이 없어서가 아니라 왠지 마음이 안 편해서.”
하고 말했다.
아아, 그런 그를 내가 어떻게 도울 수 있을까?
내가 할 수 있는 일이라곤, 앞으로 어떤 일이 일어날지만 그에게 알려줄 수 있는 것이다.
그가 목련과 하얀 구름을 바라보며 눈물짓고 있었다.
나는 저게 쉰이 넘은 내 아들인가, 싶었지만 오죽하면 저럴까 싶어 마음이 아프기도 했다.
아아.
하기야 내가 봐도 아들이 사는 나라에 참으로 오랜만에 비가 와서 파란 하늘이 돌아와 있었다. 나는 비를 다루는 벗에게,
“저 나라에 비 좀 자주 내리게 할 수 없나”
하고 말도 해보았지만, 그 벗이,
“고루고루 내리도록 해야죠. 안 그래도 물이 모자라는 판인데.”
하며 퉁명스럽게 말해서, 더는 말을 걸기도 싫었다.
내가 보기에 그는 할 만큼 했다.
그런데도 그가 있는 나라는 그렇게 바뀌지 않았다.
아아.
내가 무얼 좀 도와주려고 해도 그가 손사래부터 치니 나는 쉽게 내려갈 수도 없었다.
아아.
‘나는 어떻게 해야 하나?’
내가 그런 생각을 해 본 것도 참 오랜만이었다.
아아.
‘오로지 제 힘으로만 하려는 것도 어리석은 짓이 아닐까?’
나는 그렇게 생각했다.
그런데 그의 말로는 여느 사람도 누구에게 도와달라고 할지 모른다

는데, 그만 나에게 손을 내밀 수는 없다는 것이었다.
아아.
그 말이 맞는 말일까?
그도 여느 사람과 똑같은 자리에 서서 헤쳐 나가고 싶다는 말인데.
아아.
저걸 내가 말려야 하나, 그냥 놔두어야 하나?
나도 헷갈렸다.
내가 보기에 그는 할 만큼 했다.
내가 몸소 내려간다고 하더라도 그 나라에서는 그가 한 것보다 더 잘하기는 힘들 것 같았다. 그는 그 나름대로 부지런히 사람을 위해서 일하고, 그들을 가르쳤다. 하지만 그들은 처음에는 곧잘 그를 따라오기도 했지만, 날이 갈수록 뿔뿔이 흩어지고 말았다.
'왜 그럴까?'
그건 그가 무슨 힘이나 돈이 있는 높은 벼슬아치가 아니기 때문이다.
그가 그들 눈앞에서 돈을 좀 나누어주는 것도 아니고, 웬만큼 살 만한 집을 공짜로 빌려주는 것도 아니고, 먹을거리를 값싸게 주는 것도 아니기 때문이었다.
아아.
그는 그냥 그저 말이나 글로 그들을 가르쳤다.
이게 먹히지가 않은 것이다.
도무지 그들은 깨달으려고 하지를 않는 것이다. 그들은 더 나은 사람이 되는 것보다 오로지 남들보다 더 큰 집에서, 더 먹고 더 사고 더 쓰려는 생각뿐인 것이다.
아아.
한마디로, 쇠귀에 경 읽기인 것이다.
아아.
'그렇다면 그가 가르치는 데 잘못된 것은 없을까?'

나는 그렇게도 생각해보았지만, 아무리 가르쳐도 스스로 깨닫고 새로운 길로 나아가지 않으면 아무런 쓸모가 없다는 것이었다.
아아.
그걸 그가 어떻게 하겠는가!
나도 그건 어쩔 수가 없을 게다. 그런 그들에게 인과응보의 벌을 내릴 수는 있지만 그때뿐이고, 그렇게 그들은 그냥 죽어갈 것이다.
아아.
그러니까 이미 2600해 앞에 나도 잘 아는 부처가 있었지만, 사람 사는 데는 아직 그 꼴이었다. 부처의 말과 글이 그때부터 요즈음까지 많은 사람을 가르치고는 있지만, 내가 보기에 그렇게 나아지는 것 같지 않아서 그를 내려 보낸 것인데, 아아.
“아들아, 이제 그만 너도 올라오너라. 너도 할 만큼 했다.”
하고 내가 말해보아도, 그는,
“제발 잔소리 그만하세요. 저는 어떻게든 여기 있겠습니다.”
하며 짜증을 냈다.
아아.
하지만 그도 늙어서 아흔 살이 되면, 서서히 여기로 올라와야 할 것이다. 그다음부터 그도 나처럼 오래 살겠지만, 아무래도 그때까지는 사람 사는 데 있을 모양이었다.
아아.
아들은 거기서 여느 사람처럼 짝을 지어 아내와 아들딸과 함께 그런대로 살고 있다. 그러니까 내 며느리가 마흔다섯 살이고, 아직 얼굴도 보지 못한 손자와 손녀는 이제 스무 살쯤 될 것이다.
아아.
그는 돈을 안 내도 아픈 사람은 고쳐주고, 배우고 싶을 때까지 배우게 해주고, 살 만한 집을 한 채씩 주고, 하고 싶은 일을 하게 해주고 싶은 것이다.
아아.

그게 쉬운 일은 아닐 것이다.
그러나 내가 생각하기엔 또,
'그게 그렇게 어려운 일일까? 그 나라는 웬만큼 돈도 있다고 들었는데?'
라는 것이다.
아아.
그런데 안타까운 것은 내가 그를 벼슬아치로 만들 수가 없다는 것이다. 나도 나이가 들었는지 젊었을 때는 웬만한 일은 다 뜻대로 할 수가 있었지만, 요즘엔 그저 앞으로 무슨 일이 일어날지만 미리 안다.
아아.
그 나라는 앞으로 어떻게 되냐고?
아들이 바라는 나라가 될 것이다.
하지만 그게 스무 해 뒤의 일이라, 아들은 일흔이 되어야 손을 뗄 것이다. 아아.
그러나 열 해 뒤만 되어도 그런 일들이 그 나라에서 서서히 벌어질 테니, 그는 조금씩 마음을 놓을 것이다.
아아.
그때까지 내가 할 수 있는 일이란 무엇일까?
가만히 그를 지켜보는 것?
아아.
아들은 지금 캄캄한 밤길을 걷고 있는 것 같을 게다.
아아.
하지만 그는 혼자서 잘 이겨낼 것이다.
그가 누구의 아들인가!
아니, 그 소리는 그가 싫어하니, 될 수 있으면 하지 말자.
아아.
올해가 그들 나라 단기로 4356년이니, 열 해 뒤인 4366년엔 그도 훨씬 나아질 것이다. 그리고 그 단군도 여기에서는 내 벗으로 함께 잘 있다. 그는 나이가 4000살이 넘었다고 곧잘 나에게 말을 낮추지만, 여기는 나이라는 게 그다지 뜻이 없다는 걸 모르고 하는 소리다.

내가 그에게,

“옛날에 나라를 더 잘 다스렸으면 좋았을 텐데.”

하고 말하면, 단군은,

“뭐야? 무슨 소리를 함부로 하는 거야, 자네는 잘 알지도 못하면서!”

하며 나무란다.

제기랄!

성깔이 칼칼하고 억센 게 꼭 그 나라 사람이지만, 그래도 때때로는 상냥한 데도 있어야지, 이건, 원!

내가 보기에 아들은 할 만큼 했다.

그도 꽤 힘이 들 것이다.

하지만 어떻게 하겠는가, 쉬면서 이겨 내야지.

그는 할 만큼 했다.

아직 그는 사람을 위해서 그렇게 하고 있지만, 벼슬아치는 아니다. 그들 말로 글쟁이다.

아아.

나는 글쟁이라는 게 어떤 일을 하는지 잘은 모르지만, 그는 아주 많이 글을 쓰고 가르쳤다.

“그렇게 해서 네가 사람이 마음 놓고 살 수 있게 하겠나?”

하고 내가 물어보았지만, 그는 스스로를 굳게 믿고 있었고, 할 수 있는 일이 그것뿐이라고 했다.

아아.

정말 그것뿐일까?

“앞으로 열 해만 네가 잘 버틴다면, 바라는 바가 이루어질 것이다. 그리고 스무 해 뒤에는 거기도 모두가 즐겁게 잘 사는 곳이 될 것이다."
내가 그렇게 말하면, 그는,
"그때가 되면 알게 되겠죠. 제발 아무 말 하지 마세요."
하며 고개를 돌린다.
아아.
제 아비도 못 믿는데, 누가 누구를 믿겠는가!
아아.
나는 그가 모든 걸 알면 힘이 빠질 수도 있겠다는 생각도 했지만, 좀 서운했다.
아아.
그는 어떻게든 제 힘으로 무얼 해보겠다는 것인데, 아아, 저토록 힘겹게 버티어나가고 있으니 나는 안타까웠다. 내가 처음부터 그를 벼슬아치로 내세웠다면 일은 훨씬 더 수월했을 테지만, 그때 내려 보낸 곳이 하필 배움터라 그렇게 되었던 것이다.
아아.
다 덜렁대고 꼼꼼하지 못한 내 탓이지만, 요즘엔 나도 할 일이 워낙 많아서 얼이 빠졌던 것이다. 게다가 아들마저 내 성깔을 닮았으니, 어떻게 하겠는가!
아아.
그는 할 만큼 했다.
나도 그가 할 만큼은 했다고 보았다.
그런데 사람 사는 데는 바뀌지 않았다.
아아.
그는 지난 스무 해 할 만큼 했다.
그래서 그가 사람 사는 데에서 견디기 위해 아내를 만나 짝을 지어 아들딸을 낳은 게 아닐까, 나는 그런 생각마저 들었다.
'오죽하면 그랬을까?'
나는 그가 안되어 보였지만, 쉰이 넘은 그에게 이제 더는 잔소리를 할 수 없었다. 그는 이미 나보다 여느 사람에 더 가까워졌다. 그래서 그는 더 괴로울 것이다.
아아.
앞으로 스무 해 뒤에는 어느새 그도 나와 비슷해져 있을 것이다, 생각하는 것, 말하고 움직이는 것, 사람과 하늘과 땅을 다스리는 것 말이다. 그런 낌새는 그도 열해 뒤 예순 살이 되면, 조금씩 헤아릴 것이다.
아아.
그가 사는 나라는 너무나 많은 사람이 괴로워하다 제 목숨을 끊어 버리며, 아침에 일하러 나가 죽거나 다치기 일쑤고, 늙은이 넷 가운데 한 사람이 종이를 주워야 살 수 있다.
아아.
그는 할 만큼 했다.
그는 그런 것을 막기 위해서 글도 많이 쓰고, 이야기도 많이 했다.
그러나 그 나라는 지난 스무 해 동안 달라지지 않았다.
아아.
그가 쓴 글을 몇몇 벼슬아치는 읽었겠지만 그때뿐이고 나라나 사람이 바뀌지 않았던 것이다. 그 나라에 사는 사람 가운데 누가 이런 글을 쓴 적이 있다.

썩지 않기 위해 물은 흘러야 되고, 사람은 바뀌어야 한다.

내 기억이 또렷하다면, 어느 스님일 게다.
오죽하면 그도 그렇게 말했을까?
내가 보기에 썩어 가는 나라에 아들은 살고 있는 것이다.
아아.
그러나 나는 그가 잘 해낼 것이라고 믿는다.
언젠가,

그는 할 만큼 했다.
내가 보기에도 그는 할 만큼 했다.
그래서 그 나라는 바뀌었으니까.

나는 그렇게 말할 수 있을 것이다.

- 끝 - 2023/3/16

어느 벗

그는 이제 아무도 믿지 않기로 했다.
아니, 이미 벌써 몇 십 해 앞부터 그는 그랬다.
그건 믿을 만한 말이나 생각을 하는 사람을 그가 만나지 못했기 때문일 수도 있다.
'어떻게 그런 사람이 그렇게도 적을까?'
나는 그게 믿기지가 않아 대놓고 그에게 물었다.
"자네도 마찬가지가 아닐까?"
"그럴지도 모르지."
그는 결코 말을 길게 하지 않았다.
나는 그의 벗이고, 그는 나의 벗으로 둘 다 쉰 살이다.
우리가 서로 알게 된 지는 스무 해쯤 될 것이다.
그는 처음에는 나도 믿지 않았다.
"자네, 나도 안 믿지?"
"글쎄."
그는 요즘도 그렇게 말했다.
그런데 언젠가부터 야릇하게 나도 그게 편했다.

나도 그를 다 믿지 않고, 그저 서로 벗 삼아 지내는 것이다.
‘정말 그는 믿을 만한 사람일까?’
글쟁이인 그의 생각이나 말솜씨는 훌륭했다.
하지만 내가 읽어본 그의 글은 뛰어나다고는 할 수 없었다. 나도 어느 큰 배움터에서 글을 가르치고 있어서, 웬만큼 읽을 줄은 알았다.
그와 나는 벗일까?
사내가 마흔을 넘어서도 벗을 찾는다는 건 모자란다는 말도 있지만, 우리는 가끔 만날 뿐이었다. 그리고 그것도 요즘 들어서는 영 뜸해졌다.
‘그가 나를 믿지 못하는 것은 그렇게 훌륭한 말을 나에게서 듣지 못했기 때문이 아닐까?’
그는 나보다 말을 많이 했다.
나는 늘 듣는 쪽이었지, 그처럼 오래 말을 하지는 않았다.
‘그가 사람을 믿다가 속은 적이 많을 게다.’
나는 그런 생각도 해보았다.
‘그래서 웬만하면 아무도 안 믿게 되었을 것이다. 그렇다면 그는 나를 믿지 않는다. 그래, 나도 그를 다 믿는 건 아니니까 마찬가지다.’
그는 이야기를 쓰는 글쟁이였다.
그런데 그의 이야기는 여태껏 내가 읽었던 다른 것과는 아주 달랐다. 먼저 이야기에 나오는 사람이 한둘뿐이고, 거기에 사람 이름마저 옳게 나오지 않았다. 그리고 겨우 몇 장에 지나지 않을 만큼 이야기가 아주 짧았다.
나는 처음에는,
‘이게 무슨 이야기야?’
하면서 고개를 갸우뚱했다.
그러나 이야기가 짧아서 그런지 야릇하게 끝까지는 읽혔다.
이제 봄이 되어 날이 따뜻해지는구나, 싶으면 으레 뿌연 먼지가 덮였다.
나는 목도 아프고 콧물도 찔찔 나왔다. 그래서 밤에 자다가도 물을 마셨더니 아침에는 콧물만 조금 나왔다. 그렇게 조금 누워 있는 동안, 나는 이런 생각이 들었다.
'그러니까 그는 내 생각이나 말에서 그다지 배울 것이 없다고 생각하는 것이다.'
그렇다고 해도 내가 어떻게 할 수는 없지만, 왠지 달갑지는 않았다. 그리고 따지고 보면 그가 하는 말이나 생각에서는 나도 배울 것이 많았다. 또 여느 사람은 그가 쓴 이야기가 재미있다고 생각할 수도 있을 것이다.
'그래서 내가 그를 가끔 만나는 게 아닐까?'
그는 나보다 더 너그럽지도 느긋하지도 않았고, 오히려 성깔이 있어 보였다. 그런 나를 그는 밋밋하다고 생각하는 것이다.

네가 뜨겁지도, 차지도 않구나.

언젠가 내가 성경에서 그런 말을 읽은 적이 있었다.
그는 내가 바로 그렇다는 말이 아닐까?
그렇다고 그나 나나 둘 다 하느님을 믿는 건 아니었다. 다만, 그는 그런 훌륭한 말을 곧잘 외우고 있었다. 그리고 그는 웬만한 시나 이야기 따위는 그때그때마다 술술 나왔다. 나는 그게 부럽기도 했다. 그가 얼마나 자주 책을 읽거나 눈여겨 봐두어야 저럴 수가 있을까, 싶었다.
그러나 쉰이 넘은 사내끼리, 그것도 제 할 일이 있는 사람이 그렇게 자주 만날 수도 없었다. 그는 그대로, 나는 나대로 살기에 바빴다.
그런데 야릇한 것은 그가 쓴 이야기가 자주 통신망에 떠올랐고, 나는 그를 만나는 대신 그것을 가끔 읽게 되었다. 그건 잘 없던 일이었고, 또 이야기도 재미있었다.
'요즘 글쓰기가 늘었군.'
나는 그쯤 생각했지만, 그는 벌써 스무 해째 이야기를 쓴 글쟁이였다.
그에 비하면 나는 무엇을 했던가? 겨우 한 해에 한 편 얼굴을 찡그리며 논문을 썼다고?
그러면 그는 열 편은 썼을 것이다.
논문은 이야기와 다르다고?
나도 몇 십 해째 쓰고 있지만, 쓰다보면 그게 그거다.
그러니까 지난 스무 해 내가 스무 편의 논문을 썼다면, 그는 이백 편의 이야기를 쓴 것이다. 아니, 그의 말로는 사백 편쯤 짧은 이야기를 썼다고 한다.
많이 쓴다고 좋은 건 아니지만, 어쨌든 그는 나보다 더 힘차게 산 것임에 틀림없다.
'그는 요즘도 아무도 믿지 않을 게다.'
나는 그가 쓴 이야기를 통신망에서 읽으면서 그런 생각이 들었다.
그렇다고 그가 홀로 집 안에 들어앉아 글만 쓰는 것도 아니고, 이미 몇몇 배움터에 나가 글쓰기를 가르치고 있었다. 그래서 내가 전자우편으로 물어보니,

나는 여러 해를 버티지 못해, 기껏해야 한두 해 가르치다, 다른 배움터로 가야 한다네. 왜냐고? 버릇없는 젊은이를 나무라니까. 하하하.

하고 써서 보냈다.
하하.
나는 귀찮아서 그런 젊은이를 애써 못 본 척 넘기지만, 그는 그 자리에서 나무라는 것이다. 그런 것도 그가 나보다는 힘차게 살기 때

문이리라.
그러니까 그는 바람처럼 떠도는 것이다.
글을 쓰는 것도 가르치는 것도 그는 얽매지 않는 것이다.
그에 비하면 나는 한 배움터에서 스무 해도 넘게 있었다. 떠도는 그보다 돈도 많이 받고 글을 가르쳤지만, 내 삶이 그렇게 보람차지는 않았다.
나는 한동안 그를 만나지 않았지만, 이제 그가 부러웠다.
"자네 무슨 소리하는 거야. 나보다 돈도 훨씬 잘 벌면서? 배가 불렀군."
아주 오랜만에 만나 그가 나에게 던진 첫마디였다.
"하하하."
나도 모처럼 크게 웃어보았다.
나는 그를 만나지 않고는 견딜 수 없었는지도 모른다.
'내 삶이 삐꺽거리고 있는 것일까?'
"자네 요즘 무슨 걱정거리라도 있나?"
그가 나를 꿰뚫어 보았다.
"아, 아닐세. 자네를 만나니 모든 걸 잊게 되는군, 하하."
"하하하."
그가 웃었다.
그럴 때 그는 그야말로 목젖이 다 보일 만큼 웃어댔다.
나는 그 모습을 바라보는 것만으로 즐거웠다.
우리는 생맥주에 땅콩과 감자튀김, 마른 오징어를 고추장에 찍어 먹었다.
그날 밤은 모처럼 잊을 수 없는 날이었다.
"언제든 술을 사겠다고 나에게 전화만 하면 내가 달려오지, 하하하."
술을 좋아하는 그가 나에게 남긴 말이었다.
그는 집에서도 날마다 맥주 한두 통은 마신다. 그렇지만 나는 술을 이레에 한 번 모임에 나가 잔뜩 마실 뿐이다.

이번에는 그와 나 단 둘이 만났다.

내가 아무리 여러 사람이 모이는 곳에 가보아도 그처럼 술을 맛있게 마시는 사람은 보지 못했다. 그렇다고 그가 잔뜩 취해서 몸도 가누지 못할 만큼 비틀거리는 모습도 나는 한 번도 보지 못했다. 그래서 그런지 그와 헤어지고 돌아오는 날에는 기분이 좋았다.

그렇지만 내가 다른 모임에 나간 날은 돌아올 때 야릇하게 아주 기분이 좋지 않았다.

'무얼 때문일까?'

바로 그런 모임에서 서로 얼굴을 보며 나누고 들었던 이야기가 내 귀에 거슬리는 쓸데없는 말이었고, 그들의 입에서는 그만큼 훌륭한 말이 쏟아져 나오지 않았기 때문이다.

'그러니까 그도 배울 것이 없고, 훌륭한 생각을 하지 않는 이들과 어울리지 않는 것이다.'

나는 그렇게 생각했다.

'많이 배웠다고 해서 그들의 생각마저 훌륭한 것은 아니다.'

그래서 나는 차츰 그런 모임에는 덜 나가게 되었다. 그리고 누가 새로 짝을 짓게 되었다거나, 옛날 같은 배움터에 다니던 사람끼리 모이자는 곳에도 나는 나가지 않게 되었다. 그랬더니 야릇하게도 내 삶이 달라지고 있었다. 삶을 바꾸려면 시간, 사람, 사는 곳을 바꾸라는 말이 있는데, 나는 시간과 사람을 바꾼 셈이었다.

지난 100해 동안 가장 일찍 피었다는 개나리와 벚꽃이 지고 있었다.

산속에 드문드문 핀 진달래만 아직 붉었다.

모든 것이 유한한 존재인데도 우리는 모든 것을 두려워한다. 그리고 스스로는 영원한 존재라도 되는 것처럼 모든 것을 바란다.

\- 로슈푸코

로슈푸코는 적게 바라야 즐겁게 살 수 있는데, 그래서 훌륭한 사람도 더할 수 없이 슬프다고 했다.

그렇다면 그도 그럴까?

그는 이미 사람을 위해서 살기로 마음먹었다고 했다. 그래서 그가 하는 일은 길이라도 먼저 비키고, 돌이나 깨진 유리는 길가로 밀어두며, 그런 이야기를 쓴다는 것이었다. 그는 훌륭한 생각을 하지만, 훌륭한 사람도 아니다. 그리고 그는 바라는 것도 적다.

'모든 사람이 잘 살기를 바란다면, 그도 많은 것을 바라는 것일까?'

나는 갑자기 그런 생각이 들었다.

'그러면 그도 더할 수 없이 슬픈 것일까?'

적어도 내가 만난 그는 그렇지 않았다.

그는 목젖이 보이도록 껄껄껄, 웃어댔고, 말이나 움직임이 시원시원했다. 다만, 그는 밤에 잠을 그렇게 깊이 잘 자지는 못한다고 했다.

'그의 아픔이 거기에 있는 것이 아닐까?'

그라고 왜 힘들지 않겠는가!

'그러나 그는 잘 이겨내고 있고, 잘 이끌어 가고 있는 것이다.'

나는 그렇게 생각했다.

'그렇다면 그는 이미 훌륭한 사람이 아닐까?'

나는 벗 가운데 그런 사람이 있다는 게 자랑스럽게 느껴졌다.

그로부터 열 해가 흘러, 우리는 예순 살이 되었다.

그는 이제 이름이 꽤 알려진 글쟁이가 되었고, 나도 아직 그 배움터에서 글을 가르치고 있었다.

그런데 그는,

"이름이 알려지지 않았을 때가 살기는 더 쉬웠어."

하고 말한다.

왠지 사람이 그를 알아보는 게 부대낀다는 말이었다.

그것도 그럴 것이다.

홀로 조용히 길을 걸으며 무언가를 생각했던 그가 사람을 더 피하게 되었으니 말이다. 그렇다고 일부러 얼굴을 가리며 사람을 피할 그도 아니지만, 홀로 바라보고 느끼는 시간은 줄어들었을 게다.
"요즘 길에는 사람도 잘 다니지 않잖아?"
내가 물었다.
"음. 그렇기는 해도. 나를 먼저 알아보고 눈인사를 하거나, 수군수군하거나, 호들갑을 떠는 사람은 늘어났지."
그가 고개를 절레절레 흔들며 말했다.
"이름값을 치르는 셈이지."
"돈은 잘 벌겠군."
"예전보다는."
"하하."
그도 이제 제법 흰 머리카락이 돋았고, 이마에는 옅은 주름살이 잡혔다.
그래도 그는 나보다는 훨씬 젊어 보였다.
그리고 그도 돈을 잘 벌지 못했을 때보다는 얼굴이 더 나아 보였다, 훨씬 더 너그러워졌다고 할까?
그런데 벗 따라 강남 간다고, 나도 좀 더 느긋해졌다. 그건 우리 둘에게 다 잘된 일이다. 그렇다고 그에게 바뀐 것은 없었다. 그는 결코 유세를 부리지 않았다. 아니, 그가 날마다 이야기를 쓰고 있었으므로, 날마다 바뀌고 있는 것이었다. 썩지 않기 위해 흐르는 물처럼, 사람도 날마다 달아져야 하는 것이다. 그가 그랬고, 나는 그게 뜸하고 느렸다는 말이다.
'여느 사람이라면, 누구나 그럴 것이다.'
하지만 그는 젊었을 때부터 남달랐다.
내가 보기에 그는 늘 무언가를 스스로에게 물었고, 날마다 달라지기 위해 몸부림을 쳤던 것이다. 그게 때로는 여느 사람에게 건방지게, 주제넘게, 도도하게 보였지만, 그는 좀스럽게 굴지는 않았던 것이다.

그리고 그는 요즘, 내가 볼 때마다 사람이 달라져 있는 것 같았다. 그는 무언가 또 다른 생각을 하고 있는 것이다. 이제 나는 그의 생각도 따라잡을 수 없었지만, 가끔 그와 만나 술을 마시며 이야기를 나누면 참으로 즐거웠다. 그는 술을 마시면 말이 아주 많아졌지만, 나는 결코 지루하지 않았다.

"자네 요즘도 믿을 만한 말이나 생각을 하는 사람을 잘 만나지 못하나?"

내가 그에게 물었다.

"아니, 바로 여기 내 눈앞에 있잖아, 하하하."

그가 고추장을 찍은 오징어를 질겅질겅 씹으며 말했다.

나는 반가웠지만,

"아니, 나 말고 말일세, 여느 사람을 보거나 만날 때 말이야?"

하고 물었다.

"음, 그렇다네. 오히려 그런 사람이 줄어들었지. 하하."

그가 다시 이슬이 맺힌 생맥주 잔을 벌컥 들이켰다.

- 끝 - 2023/4/2

인연

그는 문을 열고 비가 내리는 것을 쳐다보고 있었다.
바깥에 두 아이와 그의 아비로 보이는 사람이 우산을 들고 서 있었다.
아이는 오랜만에 내린 비에 들떠 있었다.
그도 앞집 처마 밑으로 비가 내리는 모습을 참 오래간만에 바라보았다.
나는 그가 문을 열고 나와, 나를 바라보았다는 것을 몰랐다.
왜냐하면 아이가 아주 즐거워하고 있었기 때문이었다.
그는 그때 문 앞을 닦고 있었고, 잠깐 대문을 열고는 밖을 쳐다보았던 것이다. 그리고는 곧장 안으로 들어와 쓰고 있던 이야기를 썼다. 그는 나이가 예순을 넘었고, 어느 배움터에 나가 글을 가르치며 살고 있었다. 집에는 그의 아내가 있었지만, 아들딸은 모두 짝을 지어 나가서 살았다.
비는 이튿날 그쳤지만, 나무는 빗물을 흠뻑 머금고 있었다.
나는 마흔세 살로 아들딸은 이제 열 살 남짓이었다.

나는 그를 모르지만, 그는 나를 알지도 모른다. 왜냐하면 나는 아들딸을 데리고 바깥으로 자주 나왔기 때문이었다.
그는 아들딸을 데리고 자주 바깥으로 나오는 그들을 잘 알고 있었다. 그 아이들도 참 귀여웠고, 그 아비 어미도 사람됨이 괜찮아 보였다.
그런데 그는 성깔이 고약하기에 누구도 그를 좋아하는 사람은 없었다.
그의 아내마저도,
"사람을 쫓아낸다, 쫓아내."
하며 그를 탓했기 때문이다.
그가 설 곳은 글을 쓰는 일뿐이었다.
그도 젊었을 때는 그렇게까지 고약하지 않아서 사람이 그에게 모이기도 했지만, 어떻게 된 게 나이가 들면서 거의 모든 사람이 그로부터 멀어졌다.
아아.
그래서 그는 사람도 만나지 않고 오로지 글만 썼다. 그가 사람을 만나는 일이란 전철을 타고 글을 가르치러 갈 때뿐이었다.
그는 이제 계집도 좋아하지 않았고, 술만 날마다 조금 마실 뿐이었다. 그러니까 글을 쓰는 것 말고는, 그 이야기를 쓰기 위해 사람과 하늘과 나무와 땅을 바라보는 일 말고는, 그가 좋아하는 일이 없다는 말이었다.
"그건 슬픈 일이 아닌가?"
하고 누가 말해도, 그는,
"아니, 오히려 잘되었지, 달리 어떻게 할 수도 없고."
하고 말할 뿐이다.
그리고 따지고 보면 그가 젊었을 때보다 덜 헤매고, 이야기를 더 재미있게 쓸 수 있게 된 것이다. 나이 예순이 넘은 그가 무얼 더 바랄까?

"김치 냉장고가 안 되는데?"
아내가 나에게 말했다.
"뭐? 그럴 리가?"
내가 나가서 보았지만 전원을 뺐다 다시 꽂고 두 시간을 기다려보아도 김치 냉장고는 차가워지지 않았다.
"열 해나 되어서 그래, 작은 걸로 새로 하나 사야지, 뭐."
아내가 말했다.
"그래, 하는 수 없군. 그러면 가장 작은 것으로 사."
아무래도 지난해 장마 때 골마루에 빗물이 새서 김치 냉장고 밑으로 들어간 것 같았다.
그런데,
"새 냉장고 언제 와?"
하며 아이들은 들떠 있었다.
"김치 냉장고 없이, 그냥 저 큰 냉장고에 조금씩 넣어두고 해먹으면 안 될까?"
내 말에,
"그러면 김장을 담근 것은 어떻게 하고!"
하며 아내가 막무가내로 나왔다.
아아.
나는 담근 김치 국물이 넘쳐 냉장고 안에 몇 센티나 쌓인 물을 바가지로 퍼냈다.
아아.
하늘은 흐렸지만, 그저께 내린 비로 먼지는 씻겼다.
"그래, 이러면 살 만하군."
그가 혼자 중얼거렸다.
그는 그 젊은이와 아이 둘을 이틀째 보지 못했다.
이런 작은 연립 주택에서도 몇 달씩 서로 얼굴을 보지 못할 때가 있었다.

좋은 사람은 못 만나서 아쉽고, 못된 것들은 자꾸 만나서 괴로운 것이다.
훌륭한 사람을 만나는 것이 가장 좋은 인연이라고 한다.
그런데 그는 그런 사람을 지난 예순 해 동안 한 번도 가까이에서 만나지 못했다. 만나려고 하면 그런 사람이 거기를 그만두었다든지, 미리 떠났다든지, 아니면 아예 처음부터 못된 놈만 만난다든지 했던 것이다. 그것도 그가 함부로 꿉실거리지 않는 사람이기에 더욱 그러했으리라.
그러니까 사람 사는 데는 알아서 기는 것들이 수두룩하다는 말이다. 그런 것들이 힘이 없는 사람 앞에서는 꼭 거들먹거리거나 못되게 군다.
그런데 그의 아내는 아주 수더분했다.
나는 날마다 살아가는데 바빴지만, 야릇하게도 그런 티가 나지 않았다.
그것도 그럴 것이 이레에 한두 번은 꼭 차를 몰고 아내와 아이들과 함께 들판으로 강으로 바다로 놀러 갔으니까. 그럴 때마다 아내는 맛있는 도시락을 몇 개나 쌌다. 그러면 사람이 없는 들로 나가 자리를 깔고 밥을 먹었는데, 그게 얼마나 맛있는지는 그렇게 먹어본 사람만이 알 것이다. 아이들은 그림을 그리거나 세워놓은 차 지붕으로 올라갔고, 그럴 때마다 나는 그들의 손을 잡아주었다.
"5분 뒤에 김치 냉장고 가지고 가겠습니다."
"네."
아내는 들떠 있었다.
하기야 열 해나 된 김치 냉장고를 바꾸게 되었으니 왜 안 즐겁겠는가!
나는 바닥을 닦고 신발을 치우고 그들이 들어오기 쉽게 대문을 열어두었다.
이윽고 큰 차를 가지고 그들이 왔고, 1층에서 2층으로 올라왔다.

“여깁니다.”
내 말에 그들은 절을 꾸벅 하더니 김치 냉장고를 밀고 와서는 헌 것부터 들어내고, 새 것을 그 자리에 놓았다.
“여름에 베란다에 물이 고이니 바닥을 높게 괴어주세요.”
내 말에 그들이 네모난 받침대를 네 모퉁이에 힘들게 끼우고는,
“이제 다 되었습니다.”
하고 말했다.
“찬 커피 한 잔씩 드세요.”
그때 아내가 그들에게 마실 것을 내어 왔다.
그는 글만 썼기 때문에 돈을 잘 못 벌어서 그의 아내가 힘들었다.
‘그걸 어떻게 하겠나?’
그는 지난 서른 해 동안 글을 가르칠 자리를 찾아다녔다.
그래도 그는 어떻게든 살아왔지만, 그의 아내도 일을 했기 때문일 것이다.
하지만 그래서 그런지 그는 무척 많은 이야기를 썼으며, 요즘에도 쓰는 게 재미있었다.
그래서 그런지 그는 여느 사람이 어떻게 사는지, 누가 어디에 새로 왔는지, 누가 떠나가는지 살피게 되었으며 그걸 이야기로 써냈다.
‘예순세 살의 나는 어디로 가고 있는 것일까?’
그는 글쟁이답게 잘 살고 있었다.
그러나 그는 그의 아내를 위해서 돈을 더 벌어야 했다.
“아이들이 참 잘 자랐어요.”
그가 아이들과 밖에서 놀고 있는 나에게 먼저 말을 건넸다.
“예, 고맙습니다. 그런데 어디 일을 하러 나가시던데?”
“아, 한 배움터에서 글을 가르칩니다.”
“아, 예. 저는 마흔세 살입니다만, 선생님은 나이가 많아 보이시는데?”
“예순세 살입니다.”

“예순이 넘었는데도, 오래 일을 하시네요?”
내가 그에게 물었다.
“네. 자꾸 움직이어야죠, 이 어린이들처럼.”
“하하하.”
나는 그가 어디 큰 배움터에서 글을 가르칠 것 같았다.
나는 그런 그가 부러웠는데, 모두 뒤로 쓸어 넘긴 희끗희끗한 머리카락이며, 얼굴 생김새도 아주 점잖고 멋지게 보였다.
나는 그로부터 얼마 동안 그를 보지 못했는데, 5월의 봄비가 내리던 날 그의 집 대문이 열리더니 그가 골마루로 나와 하늘을 쳐다보고 있었다.
“안녕하세요?”
내가 말했다.
“아? 안녕하세요.”
그가 웃으면서 말했다.
“어떻게 오늘은 혼자 나오셨네요?”
“예, 모두 학교에 갔습니다.”
“네.”
나는 그가 틀림없이 비를 기다리고 있었다고 생각했다.
메마르고 먼지가 낀 날이 많아지면서 그런 사람이 늘어났다.
나도 아이들이 기침을 자주 해서 걱정을 하곤 했는데, 방송에서 하는 말로는 지난해보다 독감에 걸린 사람이 열세 배나 많아졌다고 한다.
아아.
비가 잘 내리지 않아 몇 해 앞부터는 거의 모든 나라가 메마르고 있었다.
모두 사람이 먹고 쓰고 버린 것 때문에 땅과 바다와 하늘이 더러워져 그런 것이다.
아아, 언제까지 우리는 그렇게 살아야 하는 것일까!

그러나 도이칠란트와 같은 나라는 원자력 발전도 다 없앴고, 앞으로는 오로지 전기 차만 다니게 한다.
'그런데 우리나라는 무엇을 하고 있는가!'
그는 생각에 잠겼다.
며칠 앞에 만난 그 아이들이 기침을 쏟아내고 있었다.
"물을 마셔."
그가 그들을 빤히 보며 말했다.
"마셨어요."
아이들이 동글동글한 눈을 하고는 그에게 말했다.
"더 마셔. 밤에도 마시고. 사과, 배, 땅콩을 많이 먹어."
그는 기침을 자꾸 하는 아이들이 안타까웠다.
아아.
"아빠는?"
"회사 갔는데요."
아이들은 그렇게 말하며 저희끼리 집 쪽으로 뛰어갔다.
그때 차 한 대가 갑자기 들어오다, 끼익, 소리를 내며 섰다.
"야!"
그가 냅다 소리를 내지르며, 그 차를 살폈다.
"이 좁은 길에서 누가 차를 저렇게 빨리 모나!"
그 검은 차는 주차장 쪽으로 휙 내려가 버렸다.
빌어먹을!
오랜만에 봄비는 더 쏟아지고 있었고, 그는 우산을 받치고 언덕길을 걸었다. 참으로 오래간만에 마을이 비에 젖고 있었다. 비는 은행나무에도, 참나무에도, 벚나무에도, 소나무에도 내리고 있었다.
그의 넓은 오른쪽 어깨가 비에 축축하게 젖어들고 있었다. 그가 우산을 오른손으로 잡자, 이번에는 왼쪽 어깨가 비를 맞았다. 긴 언덕길을 따라 몇 줄로 빗물이 미끄럼을 타듯 흘러내렸다.
"아빠, 아저씨가 우리한테 물 많이 마시래."

"배, 사과, 땅콩도 많이 먹으래."
아이들이 나에게 말했다.
"그래, 그래야 기침을 안 하지. 차가 지나갈 때는 입을 다물고 숨을 쉬지 마."
나는 아이들에게 그렇게라도 가르쳤다.
나는 그렇게 말해준 그가 고마웠다.
"그런데 아까 차가 끼익, 섰어. 그래서 그 아저씨가 야아, 하면서 소리 질렀어."
"그래? 차 조심해라, 응, 뛰지 말고. 몇 번 두리번거리다가 차가 없을 때 건너와, 알았나?"
나는 가슴이 철렁, 내려앉는 것 같았다.
아아.
우리나라는 그런 어린이 교통사고가 아주 많이 나는 나라다.
"아이들에게 차 조심하라고 한 번 더 이야기하세요, 지난번에."
오랜만에 길에서 만난 그가 말했다.
언덕길에 아카시아 꽃 냄새가 났다.
"예, 아이들한테 들었습니다. 저도 몇 번이나 이야기합니다만."
"학교에서 돌아올 때는?"
"예, 저희가 가서 데리고 옵니다. 초등학교를 마칠 때까지는 그렇게 하기로 했습니다."
"네, 잘 했습니다. 아유, 위험해서!"
그가 고개를 설레설레 흔들었다.
이런 작은 연립 주택에서도 몇 달씩 서로 얼굴을 보지 못할 때가 있었다.
"요즘에 저기 놀이터 쪽에 살던 아이 둘 있는 집 사람이 안 보이는데, 어디 갔어요?"
그가 연립 주택 관리원에게 물었다.
"아, 그 집, 며칠 앞에 이사 갔습니다. 아, 참, 그때 선생님께 못 알리고 간다면서 전해달라고 하더군요, 내가 그걸 잊고 있었네.”
“아, 그래요?”
그는 고개를 숙이고 길을 걸었다.
‘그렇게 다른 데로 갔군.’
그는 왠지 마음이 가라앉지 않았다.
좋은 사람은 못 만나서 아쉽고, 못된 것들은 자꾸 만나서 괴로운 것이다.
그는 그들이 새로 옮겨간 곳에서도 잘 살기를 바랐다, 그 아이들도 훌륭하게 자랄 것이다.
어느새 여름이 가고 가을이 찾아들고 있었다.
지난 여름비에 그는 베란다에 물이 새서 애를 먹었다.
그래서 그는 빗물이 고인 창틀에 송곳으로 구멍을 몇 군데 뚫어두었다. 그랬더니 빗물이 거기로 빠져나가 베란다에 바닥에는 물이 고이지 않았다.
사람 사는 데 왜 어려움이 없겠는가?
그러나 나이가 들수록 웬만한 것은 그때그때 다 헤쳐 나갈 수가 있다고 그는 생각했다. 다만 그는 아직 사람이 모이는 곳에는 잘 가지 않았다. 그런 곳에서는 거짓이 싹트기 쉽다는 말을 그는 믿고 있었다.
훌륭한 사람을 만나는 것이 가장 좋은 인연이라고 한다.

- 끝 - 2023/5/6

김시습과 김삿갓

나는 거기서 매월당 김시습을 만났다.
설악산 백담사.
그가 거기를 다녀갔던 것이다.
1453년 수양 대군이 형 문종의 아들 단종의 자리를 빼앗아 세조 임금이 되면서, 동생인 안평 대군마저 강화도로 보낸 다음 없애버렸다. 그때 살아남은 김시습이 설악산 백담사에 들어간 것은 1455년 무렵이었을 것이다.
안평은 세종대왕의 셋째 아들이고, 단종은 손자다. 그들을 세종대왕의 둘째 아들인 수양이 없앤 것이다.
아아.
세종대왕이 살아 있을 때에 겨우 다섯 살이 된 김시습이 시를 읊는 것을 보고는 하도 대견해서,
"앞으로 저 아이의 이름은 오세, 라고 해라."
하고 말했다.
그런 김시습이 수양의 하늘 아래에서 살 수가 있었겠는가!
아아.

올해는 이 절에서 지낸다지만, 이듬해는 어디에 머물 겐가?
향 스러져 선방은 조용한데,
내 발자취 물과 구름 사이에 남아 있으리.

벼슬자리를 버리고 떠나온 김시습은 갈 곳이 없는 것이다.
아무리 그저 떠난다고는 하지만, 막상 그가 발걸음을 머물러 쉴 곳도 없는 것이다.
아아.
나는 백담사에서 그렇게 김시습을 만났다.
내가 두 번째 뜻밖에 김시습을 만난 것은 부여에 있는 무량사였다. 김시습은 거기서 1493년 쉰여덟 살로 숨을 거두었다. 나는 그걸 여태껏 몰랐지만, 스무 해 앞에 무량사에 간 적이 있었다.
아아.
우리는 서로 그렇게 빗겨갔다.
그렇지만 몇 백 해가 지나 서로 그렇게 만난 것이다.
아아.
그리고 올해 봄 나는 어느 배움터에서 김시습이 쓴 '금오신화'를 가르쳤는데, 그때만 하더라도 그가 백담사에 간 일이며, 무량사에서 숨을 거둔 것은 까맣게 몰랐다.
아아.
그리고 또, 나는 올해부터 노량진에서 전철을 갈아타게 되었는데 거기엔 사육신의 무덤이 있다고 쓰여 있었다. 김시습이 갈기갈기 찢겨 나뒹굴던 그들의 몸뚱이를 주워서 묻어준 곳이 바로 노량진이었다.
아아.
왜 김시습은 나를 맴돈 것일까?
나는 왜 김시습이 간 곳을 맨돈 것일까?

뜻밖의 일이 겹쳤다?
그럴 수도 있을 것이다.
그러니까 올해 들어 나는 세 번이나 김시습과 이어지는 곳을 다닌 셈이다. 또 몰랐지만, 이미 스무 해 앞에 그를 한 번 만난 셈이다.
아아.
나에겐 그런 사람이 한 사람 더 있다.
바로 그 백담사에 있는 만해 기념관에서 한용운 시인을 만났고, 몇 해 앞에 충남 홍성에 갔을 때는 거기에 그가 태어난 곳이라고 쓰여 있었다. 그리고 올해 나는 한용운이 쓴 '알 수 없어요.'를 또 어느 배움터에서 가르쳤다.
왜 그렇게 그들은 내 가까이에 오게 된 것일까?
왜 그렇게 나는 그들 가까이로 가게 된 것일까?
정말 알 수가 없다.
내가 이레에 한 번 잘 나돌아 다녀서 그럴 수도 있다.
내가 글을 가르치는 사람이라서 그럴 수도 있다.
하지만 노량진은 뜻밖이라고 말할 수밖에 없다.
백담사는 물이 흐르는 골짜기를 백 개를 지나 있다는 절이다. 오백오십 해 앞에 김시습이 거기를 걸어서 들어간 것이다. 그래서인지 그날 나도 버스를 타지 않고, 아내와 걸어서 거기로 들어갔다.
"얼마나 걸릴까?"
"한 시간쯤?"
아내가 묻는 말에 내가 그렇게 말했지만, 설악산 들어가는 곳에서 걸어서 두 시간이나 걸렸다.
그래서 우리가 지나가는 몇 대의 버스를 빤히 보며, 백담사에 이르렀을 때는 저녁 다섯 시였다.
"마지막 버스는 언제인가요?"
아내가 버스 정거장에서 안내원에게 물었다.
"다섯 시입니다."

"네?"
아내가 놀라서 되물었다.
"그러면 우리는 걸어서 돌아갈 수밖에 없네요."
"걸어가면 되지, 뭐."
내가 아내의 말에 맞장구를 쳤다.
우리는 긴 돌다리를 건너 백담사 안으로 들어섰다.
저녁 다섯 시의 백담사에는 이미 손님의 발은 끊기고, 아무도 보이지 않았다.
거기서 내가 가장 먼저 본 것은 만해 기념관이었다.
그리고 아내가 법당으로 가서 절을 하는 동안, 나는 혼자 물병에 찬물을 길었다. 그리고는 만해 기념관 쪽으로 걸어갔지만, 이미 문이 다 닫혀 있었다. 그래서 나는 한용운의 '나룻배와 행인'이라는 시가 쓰인 큰 바위 앞에 앉았다.

나는 나룻배
당신은 행인
당신은 흙발로 나를 짓밟습니다.
나는 당신을 안고 물을 건너갑니다.
……

나는 두세 번 그 시를 따라 읽었다.
사람은 흙발로 짓밟는데도 나룻배는 그들을 태우고 물을 건너가 데려다준다. 그리고 또 나룻배는 눈비를 맞으며 사람이 오기를 기다린다.
아아.
나는 한용운의 시 앞에서 고개를 숙일 수밖에 없었다.
그때 아내가 걸어왔고, 그 다음 우리가 만난 이가 김시습이었다.

올해는 이 절에서 지낸다지만, 이듬해는 어디에 머물 겐가?
향 스러져 선방은 조용한데,
내 발자취 물과 구름 사이에 남아 있으리.
……

그 시조도 큰 바위에 쓰여 있었다.
"이것 봐, 김시습의 자취가 정말 여기 물과 구름 사이에 남아 있잖아."
내가 아내에게 말했다.
"올해는 이 절에서 지낸다지만, 이듬해는 머물 곳이 없던 그의 마음이 오죽했을까?"
김시습의 발자취는 사라지지 않고 남아 있었던 게다. 거기 백담사에서도, 무량사에서도, 노량진에서도.
아아.
나는 훌륭한 사람을 글로 많이 만났지만, 김시습이나 한용운처럼 뜻밖에 몇 번이나 만난 사람은 잘 없었다. 내가 글을 많이 읽어 아는 사람이 많았을 거라고? 그럴 수도 있다. 하지만 그들은 어떻게 내가 갔던 백담사, 무량사, 노량진, 홍성, 배움터에서 그렇게 몇 번씩이나 만날 수 있었을까?
나는 앞으로 그들의 글을 더 가르쳐야겠다고 생각했다.
그것만이 그들의 뜻을 살리는 길이라는 생각이 들었다. 나는 아직까지 김시습이 쓴 시조는 가르친 적이 없었다.
한 번은 김시습이 강남 압구정에 살던 한명회가 써서 걸어놓은 시조,

젊어서는 나라를 위해 일하고
늙어서는 강호에 산다.

를 읽어보고는,

젊어서는 나라를 망치고
늙어서는 강호를 더럽힌다.

고 살짝 고쳐버렸다.
한명회는 수양을 도와 1453년 계유정난을 일으켰지만, 예종과 성종에게 보낸 두 딸은 스무 살이 채 못 되어 죽었고, 1504년 연산군은 그의 관을 열어 목을 베어버렸다.
그런데 내가 사는 동네가 한강 압구정 바로 건너 옥수동이다.
그러니까 김시습은 내가 사는 동네 코밑까지 걸어온 것이다.
아아.
김시습은 자꾸 내 가까이로 왔다.
아니면, 압구정은 비싸니까 내가 옥수동으로 들어와 살게 된 것인지도 모른다.
차를 타고 다니면 돈이 많이 들기 때문이 아니라, 나는 걸어 다니는 게 좋아서 전철을 노량진에서 갈아타는 것이다. 나는 옥수에서 전철을 타고 용산에서 내리면, 1호선을 타고 한강을 건너자마자 노량진에서 내려 9호선으로 갈아타곤 했던 것이다.
또, 나는 이레에 한 번꼴로 차를 몰고는 산이나 바닷가로 간다.
절은 조용해서 나는 자주 갔던 것이다.
김시습도 나중에 세조가 된 수양이 벼슬을 주겠다고 했지만, 물리치고는 걸어서 강호를 떠돌았던 것이다.
내가 옥수동에 들어와 산 지는 서른 해가 넘었다.
옥수동에는 1419년 이종무 장군이 대마도의 왜구를 치러 갈 때 세종대왕이 몸소 나와서 배웅을 하던 두뭇개 나루터가 있다. 그렇다면 김시습을 거쳐 내가 세종대왕과 이어지는 데가 있을까? 나는 세종대왕이 만든 한글만으로 이야기를 쓰는 글쟁이다. 나는 웬만하면 이야기 속에서 한자말을 거의 쓰지 않는다.
내가 다음에 김시습이나 한용운을 또 만나게 된다면, 바로 그들의 새 글일 것이다.
나는 한용운 이야기는 이미 쓴 적이 있었지만, 김시습 이야기는 이번이 처음이었다.
김시습은 산골짜기에서 콸콸 쏟아져 내리는 푸른 물을 끝도 없이 바라보았을 것이다, 그 꿋꿋한 마음이 어디로 가겠는가!
그러던 그가 한양으로 들어오다, 길에서 신숙주를 만났다.
"네, 이놈, 돌아가신 임금의 얼굴이 무섭지도 않더냐!"
하고 크게 꾸짖자, 신숙주는 고개도 못 들고 달아나버렸다고 한다.
아아.
오죽했으면 사람들이 김시습이 뜯어고친 시조를 읊으며 한명회를 비웃었고, 녹두를 숙주나물이라고 부르며 무쳐서 먹었겠는가!
신숙주는 바로 세종대왕이 집현전에서 잠든 그가 추울까봐 용포를 벗어 덮어준 이다.
아아.
나는 그렇게 김시습과 한용운을 몇 차례 만났다.
이미, 한양에는 송곳 하나 꽂을 땅이 없었다.
그만큼 벼슬아치가 다 가졌다는 말이다.
아아.
그러니 차라니 세상을 등질 수밖에.
김시습이 그랬고, 김삿갓이 그랬다.

서당내조지 (서당은 내가 좀 아는데)
방중개존물 (방 안에는 온통 비싼 것뿐이네)
서생제미십 (학생은 열 명이 채 안 되는데)
선생내불알 (선생은 와서도 나를 보지 않네)

김삿갓은 그렇게 세상을 비꼬았다.
그러고 보니 둘 다 나처럼 김 씨네?
김 씨는 본디 금을 잘 다루던 시베리아 벌판을 떠돌던 훈족이었는데, 중국에서는 흉노족이 되었다가 쫓겨서 갑자기 우리나라 해남 진도 완도로 달아난 다음, 가야로 들어가더니 김수로왕이 되었고, 경주로 들어가서는 신라의 김유신과 무열왕 김춘추가 되었다?
'떠돌기는 잘 떠돌았군.'
나는 갑자기 그런 생각이 들었다.
'그래서 나도 이레에 한 번은 꼭 떠도나?'
나는 여느 때도 마을버스는 아예 타지 않고 걸으며, 전철역도 일부러 먼 곳에서 내린다. 한 역을 빨리 내리기도 하고, 일부러 한두 역을 더 걸어가 탄다는 말이다.
아아.
그래서 나도 잘 비아냥거리는 모양이다.
아아.
글을 못 써 김삿갓처럼 잘 비꼬지는 못하지만, 나는 빈정대기 일쑤였다.
아내도,
"제발 잔소리 그만해,"
하면서 늘 나무란다.
아아.
왜?
내가 틀어놓은 거의 모든 방송만 보면 욕을 해댔으니까!
아아.
그리고 나는 다른 사람 이야기도 좋게 말하는 적이 잘 없었다.
아아.
어떻게 생긴 녀석이기에 나는 그 꼴일까?
내가 김시습이나 김삿갓만큼 글이나 쓰는가?

김시습도 키가 작았다고 하는데, 나도 작다.
아아.
그들은 몇 살을 살았는가?
김시습은 1435년에서 1493년까지 쉰여덟 살까지 살았고, 김삿갓은 1807년 1863년까지 쉰여섯 살까지 살았다.
나는 예순세 살이다.
그들보다 대여섯 살 더 살고 있다.
아아.

- 끝 - 2023/5/12

오존

오존과 먼지는 날로 많아지고 있다.
그런데도 모두 어떻게 아무렇지도 않다는 듯 살고 있을까?
방송을 보니까 북한에는 꽃에 벌이 날아들던데, 나는 우리나라에서 올해 벌을 한 마리도 못 보았다.
'오존 탓이 아닐까?'
나는 갑자기 그렇게 생각했다.
오존은 산화제, 표백제, 살균제에 많이 쓰이며, 푸른빛과 냄새가 나는 기체인데 매연이 햇빛을 만나서 잘 만들어진다.
내가 어제 목이 아팠던 것도 오존 탓일 게다.
'바깥에 오존이 얼마나 많으면, 이제는 집 안에서도 목이 아플까?'
나는 그런 생각까지 하게 되었다.
그리고 나는 스스로를 믿고 있었다.
'우리나라는 몇 해 동안 해충을 잡는다고 하늘에서 살충제를 뿌려댔는데, 그게 살균제가 아닐까?'
벌도 그래서 살아졌다는 말이 어느 방송에서 나왔다.
내가 보기엔 거의 모든 사람이 성이 나 있었다.

한 번은 내가 전철역에서 걸어가는데 뒤에서 웬 사람이 씩씩거리며 다가오는 것 같더니 바로 내 뒤에 침을 퉤, 하고 뱉았다. 난 뒤돌아서 그를 빤히 보았다. 아무래도 그는 술을 마신 것 같았다. 그런 이는 모르는 척 하는 게 낫다고 생각하고 나는 다시 앞으로 걸어갔지만, 요즘 괜히 남의 앞길을 막는다거나 노려보거나 비웃는 사람은 흔했다. 그거야 저가 못나서 그렇겠지만, 나라 탓도 먼지나 오존 탓도 있을 것이다.

어제도 오늘도 창밖은 뿌옜다, 그야말로 푸른빛이 감돌았다.

'저건 틀림없이 오존일 게야.'

요즘 우리나라는 한여름에나 생길 오존이 봄에도 많아졌다고 한다.

아아.

'오존은 사람 몸도 서서히 산화시킬 거야.'

어디 벌레만 그렇게 되겠는가!

그런데 야릇하게도 비바람이 몰아치는 날에는 괜히 사람을 노려보는 사람이 적다는 것이다, 침을 뱉는 사람도 매섭게 쏘아보는 사람도 비웃는 사람도 적었다. 그러니까 그런 날은 뜻밖에 그들도 신이 났다거나, 몰아치는 비바람을 막기에 바쁜 것이다. 오존이나 먼지도 사라졌을 테니까.

그러나 오늘도 밖은 푸른빛이 아침부터 감돌았다.

스멀스멀 오존이 피어오른 것이다.

밤새 쌓여 있던 매연이 햇볕과 만나 오존을 만들어댄 것이다. 벼슬아치는 언제나 그렇지 않다고, 괜찮다고 말한다. 왜? 오존 탓일 거라고 말했다가는, 그걸 못 막으면 쫓겨날 테니까.

그러면 글쟁이인 나는 어떻게 해야 할까?

'이런 글이나 쓰지, 뭐.'

그것 말고 내가 해야 할 일이 있을까?

그런데도 모두 어떻게 아무렇지도 않다는 듯 살고 있을까?

아아.

벼슬아치는 바로 그 빈틈을 노릴 게다.
무슨 일을 해야 하는 사람과 손 놓고 있는 사람 사이 말이다.
“요즘 목이 왜 이렇게 따끔거리지?”
“나도 목이 아파.”
동네에서도 사람들이 저마다 중얼거리고 있었다.

목이 아프다며 병원을 찾는 사람이 부쩍 늘었습니다.
그 가운데는 숨 쉬기가 힘들다며……

방송에도 그런 말이 자주 나왔다.
“이녁은 목 안 아파?”
내 말에 아내는,
“난 괜찮은데?”
아내가 목을 만지며 말했다.
“내가 보기엔 다 오존 탓이야.”
내가 말했다.
“오존 주의보를 지나 곧 경보가 뜰 걸?”
“에이, 설마.”
아내는 아무렴 그럴까, 하는 투였다.
낮인데도 도시는 푸른빛이 감돌았다.
그렇지만 사람들은 아무렇지도 않다는 듯 길을 걸어갔고, 밥을 사 먹었으며, 지껄이며 웃어댔다.
오존은 아스팔트 위에서 지글지글 끓어오르고 있었다.
봄인데도 낮에는 25도까지 올라갔고, 아스팔트는 그것보다 훨씬 뜨거웠다. 그리고 성마른 사람들이 차에서 냉방기를 켜대는 바람에 광화학 스모그를 일으키며 오존은 안개처럼 퍼지고 있었다.
“이제는 눈도 따끔거리는데.”
“난 목이 더 아파.”

그렇게 말하는 사람도 늘어났다.
나는 이제 집 안에서도 목이 아팠다, 그렇다고 이런 날씨에 창문을 닫아둘 수도 없었다.
병원마다 목과 기관지가 아픈 사람들로 꽉 차 있었다.

오늘은 올해 들어 처음으로 오존 경보가 발령되겠습니다.

방송에서는 그렇게 말했지만, 나는,
'처음이 아닐 걸?'
이라고 생각했다.
벼슬아치 가운데 몇몇은 그런 걸 다 알고 있었지만, 말하지도 드러내지도 않았다. 나는 일찌감치 벼슬아치는 믿지 않았다.

매연, 배기가스 따위가 햇빛의 자외선을 받아 광화학 반응이 일어나 안개처럼 오존을 만들면서 눈이나 호흡기에 장애를 일으킨다. 심하면 산화 작용을 일으며 기관지가 녹아내릴 수도 있음.

나는 통신망에서 오존을 찾아보면서 깜짝 놀랐다.
'기관지 녹아내리면 다음은 허파가 아닌가? 쇠가 산화되어 녹스는 것처럼?'
아아.
나는 몸서리를 쳤다.
이미 병원은 호흡기 환자로 가득 찼다.
그리고 그 가운데 그야말로 기관지가 녹아내리는 사람이 나오고 있었다.
발등에 불이 떨어진 나라에서도 부랴부랴 앞으로 석 달 동안 모든 석탄 발전소와 정유 공장의 문을 닫도록 했고, 자동차도 홀짝제로 다니게 했지만 몇 발이나 늦은 것이었다.

6월에 들어서면서 길에는 다니는 사람 하나 없이, 유령 도시처럼 바뀌고 말았다.

병원에서는 사람들의 허파가 녹아내리고 있습니다.

방송에서 그렇게 말하지는 않았지만, 이미 알 만한 사람들은 다 알고 있었다. 사람의 가슴이 쇠가 녹슬 듯 녹아내리고 있다는 것을.

쿨럭쿨럭.

아내도 기침을 쏟아냈다.

"물마시고, 이 물수건으로 입을 가려."

난 아내에게 적신 수건을 건네주었다.

아아.

쿨럭쿨럭.

나도 기침을 할 때마다 가슴이 아렸다.

"이녁은 괜찮아?"

아내가 물었다.

"음."

난 그렇게 말하며 잠깐 열어두었던 창문을 닫고는 집 안 가득히 채운 꽃분에 물을 주었다.

"바람이라도 불어야 될 텐데."

나는 그렇게 말하면서도 제발 비바람이 몰아쳐 이 먼지와 오존이 사라지기를 간절히 바랐다.

그러나 해가 갈수록 비는 적게 내렸고, 공해로 기온이 올라가면서 오존이 걷잡을 수 없이 늘어났던 것이다.

아아.

이제 사람들은 집 안에 틀어박혀 장맛비가 쏟아지기만 기다리고 있었다.

하지만 하룻밤을 지내면 이튿날 아침 숨을 쉬지 못하는 사람은 늘

어만 갔고, 그들은 피를 토하며 숨져갔다.
아아.
길에는 개미 한 마리 다니지 않았다.
모든 도시에 차는 멈추어 서 있었고, 화력 발전소와 모든 공장이 문을 닫았다. 그렇지만 바람이 불지 않으면서, 꽉 찬 먼지와 오존은 좀처럼 사라지지 않았다.
'집만 높이 쌓아올렸으니, 바람 길도 다 막혔지.'
나는 몇 십 해 앞부터 바람 길을 터두고 집을 짓던 도이칠란트를 떠올렸지만, 이미 우리는 너무 늦었다.
다른 나라 방송에서도 먼지와 오존으로 꽉 찬 푸른빛의 우리나라 도시들을 비추고 있었다. 그들은 방독면을 쓰고 그런 모습을 찍고 있었다.
아아.
어쩌다가 우리나라가 이렇게 되었을까?
이미 몇 십 해 앞부터 먼지가 찼고, 그다음엔 미세 먼지가 가득했으며, 오존이 많아지고 있었는데도 말이다!
"조금만 더 버티자, 이제 곧 장맛비가 쏟아질 거야."
나는 아내에게 그렇게 말하면서도 몇 해 앞처럼 마른장마가 오지 않을까, 걱정을 하고 있었다.
아아.

장마 전선이 제주도 남쪽으로 올라오고 있습니다.

방송에서는 그렇게 떠들고 있었지만, 그렇게 말한 지도 열흘은 되는 것 같았다.
아아.
6월에도 비가 내리지 않으면, 이제 나도 아내도 버틸 수 없을 것 같았다.

냉방기를 틀 수 없어서 창문을 닫은 채 선풍기를 켰지만, 더는 견딜 수 없어 창문을 여는 집도 많았다. 그리고 밤에는 몰래 냉방기를 켜는 집도 더러 있었는데, 다음날 아침이면 싸우는 소리가 들렸고, 경찰차와 구급차가 오고 갔다.

아아.

“너희는 아직 괜찮지?”

아내가 걱정이 되는지 아들 집에 날마다 전화를 했는데, 거기는 산동네여서 조금 나은 듯했다.

그러나 서울에서는 하루에도 몇 천 명씩 숨을 쉬지 못하고 죽어갔다.

이미 서울의 화장장은 더는 주검을 받지 못해, 모두 버스를 타고 다른 곳으로 내려가야만 했다. 그 주검은 모두 가슴이 타들어간 사람들이었다. 그 가운데는 어린이와 늙은이가 가장 많았다.

아아.

그런데 드디어 어제부터 제주도에 비가 내렸다.

그 얼마나 기다리던 비란 말인가!

모든 사람이 그 비가 북쪽으로 올라오기를 가슴을 졸이며 기다리고 있었다.

하지만 장맛비는 남쪽에서만 오락가락하고는 좀처럼 올라오지 않았다.

아아.

아내와 내가 겨우 물만 삼키며 마지막처럼 밤을 보내고 있을 때, 드디어 이 유령 도시에도 비가 내리고 있었다.

비를 맨 처음 본 내가 창문을 조금씩 열었다.

“어, 비다, 비가 온다!”

내가 겨우 소리를 질렀다.

그 소리에 아내가 겨우 눈을 뜨고 창문을 바라보았다.

나는 아내는 부축해 창가로 왔다.

빗소리와 함께 찬바람이 쏴, 하며 들어왔다.
아내가 기침을 했지만, 그건 마치 허파 속에 가득 찬 오존을 빼내는 것 같았다.
"이젠 살았어, 우리도 이제는."
나는 힘을 내어 말했다.
그러자 집집마다 창문을 열고는 모두 작은 소리를 지르며 비를 바라보았고, 몇몇 사람은 밖으로 뛰쳐나와 두 손을 벌리고는 밤비를 흠뻑 맞고 있었다.
장맛비는 이튿날부터 그치지 않고 며칠 동안 쏟아져 내리고 있었다.
아아.
살아 있는 사람은 모두 길에 나와 그 비를 맞이했다.
그렇게 며칠이 지나자 야릇하게도 길에는 차가 다니고 있었다.
나도 다시 일터로 나가기 위해 비를 맞으며 전철을 탔다.
하지만 아직 기침을 하는 사람과 입 가리개를 한 사람이 많았다.
"내일부터는 장마가 그친다지?"
전철 안에 탄 늙은이끼리 그런 말을 주고받았다.
나는 대번에 눈썹을 찡그리며 그 소리에 귀를 기울였다.
"다시 오존 경보가 떠는 거 아냐, 아휴."
내가 일터에 이르렀을 때, 거기에 나온 사람은 반밖에 되지 않아 빈자리가 많았다.
그 빈자리만큼 그들의 아비 어미나 아들딸이 피를 토하며 죽어갔을 것이다.
아아.
"그래도 살아서 오셨네요."
나는 그들에게 고개를 숙였다.
그들도 나에게 같은 말을 했다.
그런데 그들도 하나같이 나처럼 차를 몰고 오지 않고 전철을 타고 왔다. 나는 야릇하게 그런 그들이 고마웠다.
그러나 내가 집으로 돌아갈 즈음에는 아침보다 길에 다니는 차가 훨씬 늘어나 있었고, 하늘엔 어느새 비가 그쳐 있었다.
비가 그치자, 이튿날부터는 날이 더워지고 있었다.

여름 무더위가 찾아오면서 냉방기를 트는 사람이 늘어나, 다음 달부터는 화력 발전소를 돌리기로 했습니다. 그리고 모자라는 기름 때문에 정유 공장도 차츰.......

나는 보던 방송을 꺼버리고 집 밖으로 나와 숲길을 좀 걸었다.
서울 하늘에 푸른 별이 몇 개 떠 있었다.

- 끝 -   2023/5/13

대마도 정벌

서울 옥수 역 아래 큰 느티나무 옆에는 '기해동정'이라고 쓰인 돌이 있다.

1419(기해)년 이종무 장군이 대마도 왜구를 정벌한 것이다.

그때 세종대왕이 몸소 옥수 나루터에 나왔다고 한다.

"이 장군, 왜놈들을 싹 쓸어버리시오."

세종대왕이 갓 임금 자리에 오른 해였다.

"예, 전하."

이종무 장군은 한강에 떠 있는 배를 바라보았다.

한 배에 100명씩 모두 1만 명이나 되는 병사가 배 100척에 타고 있었다.

그들을 배웅하는 벼슬아치와 백성이 두뭇개(옥수) 나루터에 새하얗게 몰려들었고, 아침부터 쾅쾅, 하는 북소리가 울리고 있었다.

거기엔 세종대왕의 아버지인 태종 이방원도 함께 있었다.

"태조 할아버지께서 황산(남원) 대첩(1388년)과 두 번째 대마도 정벌(1396년) 때도 그토록 왜구를 물리치셨건만."

상왕 이방원이 혀를 찼다.
그건 세종대왕도 몇 번 들어서 알고 있었다.
"예, 아버님. 이번에는 이종무 장군이 다시는 왜구가 우리나라 바닷가에 나타나지 못하도록 할 것입니다."
세종대왕은 깃발을 나부끼며 한강에 떠 있는 함선 100척을 바라보았다.
상왕이 앞에 서 있는 이종무 장군에게 말했다.
"왜놈이 간사하니 부디 그들 꾀에 넘어가지 말고, 함부로 대들면 목을 베되 잘못을 빌면 받아들이게."
"예. 상왕 전하."
이종무가 고개를 숙이며 말했다.
"모레면 대마도에 이를 수 있겠나?"
거의 모든 것을 지휘하고 있는 이방원이 물었다.
"선발대는 내일 밤이면 이를 것입니다."
이종무 장군이 말했다.
"그러면 그들을 먼저 대마도 땅에 들어가게 한 다음, 새벽에 우리가 닿으면 박실이 불화살을 쏘아 올릴 것입니다."
이종무 장군이 이끄는 100척의 함대가 한강을 빠져나가고 있었다.
앞쪽은 벌써 마포를 지나고 있었지만, 쌀과 물을 실은 수송선은 이제 두뭇개 나루터를 떠나려고 했다.
"먼저 거제도 가서 하루를 보내고, 거기로 모이기로 한 경상, 전라 좌수영과 우수영 병사 1만 명을 태운 배 100척과 함께 이튿날 대마도를 칠 것이오."
쉰두 살의 이방원은 힘이 넘쳤다.
이때 세종대왕의 나이는 스물두 살이었다.

"먼저 대마도주 소우 사다모리를 잡아야 한다."
선발대장 박실은 이종무 장군이 한 말을 떠올리며, 배를 대마도의 얕은 산기슭 쪽으로 붙였다.
그러나 어두컴컴한 새벽녘에 쉰 명의 병사로 대마도주가 있는 곳을 찾을 수가 없었다.
“날이 밝기를 기다려야 합니다.”
병사 가운데 한 사람이 박실에게 말했다.
“음.”
박실은 생각에 잠겼다.
‘우리나라 사람을 함부로 잡아간 이 왜구 놈들을!’
“저거 가장 큰 왜구의 천막부터 뒤진다. 알겠나? 모두 조용히 나를 따르라.”
“예.”
쉰 명의 병사가 선발대장 박실을 뒤따랐다.
몇 십 발자국쯤 그들이 앞으로 나갔을까, 바로 그때 땅 밑이 움직이더니 시커먼 것들이 소리를 지르며 튀어나왔다.
“야아! 코로세(죽여라)!”
그 순간 박실과 병사들은 두려움에 떨며 힘조차 제대로 쓰지 못하고 쓰러져 갔다.
아아.
“물러나라! 배로 돌아가라!”
박실이 칼을 휘두르며 외쳤다.
그러나 선발대장 박실마저 왜구의 칼날에 찔리고 말았다.
“아악.”
그렇게 조선 정벌군 쉰 명과 박실이 그 자리에서 모두 숨졌다.
그러나 그때쯤 이종무 장군이 이끄는 2만 명의 조선 정벌군이 대마도 앞바다에 나타났다.
멀리서 그 모습을 지켜보던 대마도주 소우 사다모리는 새벽의 승리에도 불구하고 입이 다물어지지 않았다.
“도우 시요오(어떻게 하지)?”

사다모리는 아랫도리가 벌벌 떨렸다.
그는 새벽에 조선군 병사를 죽이지 말고 그냥 잡아둘 것을, 하는 생각이 들었지만 이미 때는 늦었다.
"박실은 아직 불화살을 쏘지 않았는가?"
"예, 장군님. 아무래도."
우군 절제사 이순몽이 말했다.
"그래? 그렇다면 우리가 한꺼번에 뭍으로 올라가 왜구를 친다."
이종무 장군은 머뭇거리지 않았다.
"배를 저 배다리 쪽으로 붙여라!"
"예."
바야흐로 2만의 조선 정벌군이 대마도를 치는 것이다.
그때 대마도에 몰려 있던 왜구는 아무리 많아도 2천을 넘지 않았다.
중과부적.
1419년 6월 21일, 대마도 정벌이 시작되었다.
왜구의 화살이 날아왔지만, 먼저 1만의 조선 정벌군은 불화살로 배다리에 묶여 있던 왜선 10척을 불태우면서 피어오른 연기를 방패로 삼아 뭍에 올랐다.
"왜놈들을 모조리 쓸어버려라!"
우군 절제사 이순몽이 칼을 들고 외쳤다.
그의 발밑에는 그날 새벽에 쓰러진 조선의 병사들이 눈을 감고 누워 있었다.
"한 놈도 남기지 말고 모조리 없애라!"
그러나 이종무 장군은 나중에 그런 이순몽을 말리게 된다.
"상왕이 뭐라고 하셨나? 함부로 대들면 목을 베되, 잘못을 빌면 왜구라도 받아들이라고 하지 않았나!"
이미 대마도의 왜구 천 명이 죽었고, 몇 백 채의 집이 불탄 다음이었다.

나머지 몇 백 명의 왜구마저 목이 베일 참이었으나, 이종무가 말린 것이다.
게다가 대마도주 소우 사다모리가 아직 잡히지 않았다.
"이놈의 우두머리를 꼭 잡아야 한다."
이종무 장군이 이순몽에게 말했다.
"반드시 산 채로 잡아오너라. 알겠나?"
"예."
우군 절제사 이순몽이 1천 명의 병사를 이끌고 달아난 대마도주를 잡으러 나섰다.
그러는 사이에 이종무 장군은 왜구에게 잡혀 대마도로 끌려왔던 몇 백 명이나 되는 조선인과 명나라 사람을 풀어주었다.
"장군님."
끌려온 조선인들이 목을 놓아 울었다.
아아.
이종무 장군은 뼈만 남은 그들의 몰골을 보고는 입술을 굳게 다물었다.
아아.
'왜구 이놈들을.'
그러나 그는 늘 사람을 생각하시는 세종대왕의 뜻과 상왕이 하신 말씀이 생각나 잘못을 비는 왜구의 목은 베지 않았다.
그날 밤, 이순몽은 대마도주를 잡지 못한 채 막사로 돌아왔다.
"날이 어두워 돌아왔사오나, 내일 새벽 다시 사다모리를 잡으러 가겠습니다."
"그래, 그놈은 꼭 잡아야 한다."
이종무 장군은 병사들을 편히 쉬게 하도록 이순몽에게 말해두었다.
이튿날 새벽, 이종무 장군은 시끄러운 소리에 눈을 번쩍 떴다.
창창.
적의 기습이었다.

“장군님.”
그 순간 막사 밖에 있던 병사 하나가 뛰어 들어오며 소리쳤다.
“왜구의 기습입니다!”
이종무 장군은 옆에 세워둔 칼을 들고 부리나케 바깥으로 나갔다.
그러나 이순몽과 병사들이 이미 몇 십 명이 안 되는 왜구를 잡아 없애고, 나머지 몇 명을 무릎을 꿇린 채 손을 뒤로 묶고 있었다.
“이 가운데 사다모리가 있느냐?”
이종무 장군이 우군 절제사 이순몽에게 물었다.
“사다모리는 없습니다. 아직 산속에 숨어 있는 것 같습니다.”
“이놈들을 캐서 그놈이 숨어 있는 곳을 알아내라!”
“예.”
그러나 열흘이 지나도록 대마도주 사다모리는 잡히지 않았다.
그리고 정벌군이 가지고 온 쌀도 바닥이 나서, 이제 거제도로 돌아가야만 했다.
그런데 7월 1일 대마도주 사다모리가 글을 써서 보낸 종이가 화살에 꽂힌 채 막사 쪽으로 날아들었다.

장군님께
저는 대마도주 소우 사다모리입니다.
저희 포로를 풀어주시면, 다시는 조선 땅에 들어가지 않겠습니다. 그리고 쌀과 콩이 없는 저희를 불쌍히 여겨, 부디 대마도를 조선 경상도 땅 하나로 넣어주십시오.

엉망진창으로 쓰인 글을 읽은 이종무 장군은 한동안 생각에 잠기더니,
“저기 남은 왜구의 배를 모조리 불태우고, 모두 배에 올라라.”
하고 말했다.
우군 절제사 이순몽이 놀라서 말했다.

“장군님, 이놈 사다모리를 잡아야 합니다.”
“아니다, 남은 왜구가 얼마 되지 않으니 풀어주어라. 우리도 돌아갈 채비를 해야 한다.”
이종무 장군은 대마도를 경상도 땅에 넣을지 말지는 조선으로 돌아가 세종대왕에게 여쭈어야만 했던 것이다. 그리고 왜의 경도에서 대마도주를 도우러 올지도 몰랐다. 그렇게 되면 명나라가 대마도를 치겠다고 나설 테고, 틀림없이 조선이 모든 쌀과 물을 대라고 할 것이다.
1419년 7월 3일, 이종무 장군이 이끄는 2만에 가까운 대마도 정벌군이 거제도 앞바다로 들어오고 있었다.
비록 선발대 박실이 이끌던 쉰 명의 병사가 돌아오지 못했지만, 몇백 명의 조선인과 명나라 사람을 다시 데리고 올 수가 있었다. 그들은 거제도에서 하루를 쉬고, 이튿날 새벽 우군 절제사 이순몽과 1만 명의 수군은 경상도와 전라도로 돌아가고, 그다음 날 이종무 장군이 이끄는 1만 명은 서해를 돌아 강화도와 김포를 거쳐 한강으로 들어갔다.
깃발을 나부끼며 대마도 정벌군이 한강 동호 쪽으로 들어오고 있었다. 마침내 이종무 장군의 배가 두뭇개 나루터에 닻을 내렸다. 그를 맞이한 것은 상왕 이방원이었다.
“상왕 전하.”
이종무 장군이 고개를 숙이며 말했다.
“이 장군.”
상왕 이방원이 그의 손을 잡았다.
“여기 대마도주의 편지가 있사옵니다.”
“음. 그래. 뭐라, 대마도를 경상도 땅에 넣어달라고?”
편지를 읽던 이방원이 고개를 갸우뚱했다.
“왜놈들이 또 술수를 부리는구나. 넣어주지 않으면 또 노략질을 하겠다, 이 말이군. 하하, 간사한 놈들.”

이방원이 혀를 찼다.
“그래, 이건 전하께 이 장군이 몸소 전하도록 하게. 나도 따로 말할 터이니.”
상왕 이방원이 사다모리의 편지를 다시 이종무에게 돌려주었다.
“예, 상왕 전하.”
“오늘은 여기 차려놓은 먹을거리와 술을 병사들이 마음껏 들게 하라. 왜구를 모조리 쓸어버리고 왔으니, 이보다 기쁜 일이 어디 있겠느냐. 하하하.”
이방원은 그렇게 말하면서도, 북쪽에서 나부대는 여진족을 토벌하는 데도 이종무를 보내야겠다고 생각했다.
이날 1419년 7월부터 1592년 임진왜란이 일어나기까지 173년 동안 왜구는 우리나라 앞바다에 나타나지 못했다. 그만큼 대마도 정벌은 그들에게 두려웠던 것이다.
세종대왕은 그때부터 한글을 만들려는 마음을 품게 되었고, 드디어 1443년 28자의 한글을 만들 수 있었던 것이다.
그리고 세종대왕은 왜구가 사는 대마도를 결코 경상도 땅에 넣지 않았다. 그들은 간사하기가 이를 데 없는 오랑캐였기 때문이었다.
하지만 세종대왕의 말처럼, 1592년 대마도주를 앞세운 왜놈들이 다시 이 땅에 쳐들어왔다. 왜놈들은 지난 200년 동안 저희끼리 물고 뜯고 싸우기만 되풀이하다가, 마침내 힘을 키우게 된 한 놈이 바로 토요토미 히데요시였다. 대마도가 조선에 넘어갈까 골머리를 앓던, 그야말로 생김새가 쥐새끼처럼 생긴 히데요시는 조선을 치기 위해 10만 명을 보냈다.
그러나 왜놈들은 바다에서 이순신 장군이 이끌었던 한산대첩과 뭍에서 권율 장군의 행주대첩 끝에 1598년 겨우 1만 명만 살아서 돌아갔다.
명나라도 처음에 왜놈들이 북쪽으로 치고 올까봐 조선군과 힘을 합했으며, 또, 왜놈들은 도무지 알 수 없는 제3의 병사 의병과의 싸움에서도 연전연패했다.
그 뒤로는 대마도 왜구도 사라졌다.

나는 그 한강 동호 쪽에 다시 가보았다.
서울 옥수 역 아래 큰 느티나무 옆에는 '기해동정'이라고 쓰인 돌이 있다.
1419(기해)년 이종무 장군이 대마도 왜구를 정벌한 것이다.
그때 세종대왕이 몸소 옥수 나루터에 나왔다고 한다.

- 끝 - 2023/6/12

체체파리

서울 33도.
갓 여름에 들어섰지만, 몹시 더웠다.
그리고 오존과 자외선이 너무 많았다.
'이래도 되는 걸까?'
김지혁은 고개를 살짝 흔들었다.
시베리아 동토가 녹고 그 속에 있던 메탄가스가 뿜어 나온다.
북극 오존층은 사라지고 우주 방사능이 그대로 지구로 들어온다.
인도와 아랍 쪽은 50도까지 올라가고, 지구는 몇 해 만에 1도가 올라갔다.
아아.
'이렇게 해서 사람이 얼마나 살 수 있을까?'
그가 창문 밖에서 나는 비릿한 오존 냄새를 맡았다.
그런데도 벼슬아치 누구 하나 오존을 어떻게 막을 것인지, 말하지 않는다.
아아.
그는 오존 탓에 한여름인데도 콧물이 나왔다.
오존이 허파와 코, 목 속으로 파고드는 것이다.

그리고 그는 오늘 조용한 동네 앞길을 거닐다가 새까만 파리가 몇 마리씩 날고 있는 걸 보았는데, 그건 나중에 모두 알게 되겠지만 바로 온 나라를 죽음 속으로 몰아넣은 체체파리였다.

본디 아프리카 살며 사람이나 짐승의 피를 빨아먹는 체체파리가 우리나라에도 들어온 것이다.

아아.

체체파리에 물리면 시름시름 앓다가 숨지거나, 몇 달 내내 잠을 자다 마침내 힘이 빠져 죽게 된다.

그 체체파리가 어떻게 우리나라로 들어왔을까?

그건 바로 한국과 아프리카를 오고 가는 배였다.

한국에서 버려진 컴퓨터와 텔레비전을 가득 실은 배가 아프리카를 드나들면서, 거기에 살던 체체파리가 다시 배를 타고 우리나라로 들어온 것이다.

아아.

집파리보다도 시커멓고 큰 체체파리는 곧 우리나라의 모든 곳으로 퍼졌다.

사람들은 모기장을 사고 약을 뿌려댔지만, 그렇다고 모기에 안 물리는 건 아니듯, 체체파리에 물려 병원으로 몰려들었다.

아아.

그러나 아직 체체파리의 병원체를 막을 약은 만들어지지 않았고, 날이 무더워지면서 사람들이 마구 죽어나갔다. 몇 달 만에 그 숫자는 지난 세 해 동안 코로나19로 죽어나간 사람을 넘어섰다.

아아.

“우리나라 바다는 지난 몇 해보다 2도나 높다는데.”

김지혁과 함께 극동 연구소에 있는 이상호가 말했다.

“그래서 우리나라에 체체파리가 살 수 있는 것일까?”

김지혁이 물었다.

극동 연구소는 본디 정치, 문화를 연구하는 곳이었지만, 요즘엔 기후에 관한 논문도 나왔다.
“북한에도 체체파리가 있다고 하잖아?”
이상호가 말했다.
“그러면 북한에도 죽는 사람이 많겠군.”
김지혁은 그것 때문에 북한이 남쪽으로 밀고 내려올 수는 없을 것이라고 생각했다.
“중국과 러시아도 마찬가지니까.”
이미 우리나라는 올 3월, 100해 만에 가장 빨리 꽃이 피었다. 그러다 4월에 날이 조금 차지면서 사과, 배 따위의 모든 과일이 열매를 맺지 못하고 있었다. 벌이 사라진 지는 벌써 몇 해가 지났다. 그래서 사람 손으로 가루받이를 했지만, 올해는 그것마저 쓸모없어진 것이다.
이튿날, 극동 연구소 안팎에도 아침부터 열기가 지글지글 피어올랐다.
전기를 아낀다고 냉방기는 30도가 넘어야 켜도록 되어 있어, 빌빌 돌아가는 선풍기 바람에도 연구원들이 땀을 흘리고 있었다.
“오늘은 35도까지 올라간다는데?”
“어제는 죽은 사람이 100명이 넘었다는데?”
연구소는 그런 소리로 뒤숭숭했다.
서울과 경기는 화장장이 꽉 차서, 모두 남쪽으로 가서 주검을 불태웠다.
2020년 코로나19가 온 나라를 휩쓸 때보다 죽는 사람이 몇 배로 늘어났다.
“자네 집에서는 어떻게 자나?”
김지혁이 물었다.
“날마다 모기장에 모기약, 모기향에 전기 파리채까지, 어유.”
이상호가 고개를 절레절레 흔들었다.
“게다가 창문은 꼭꼭 닫고 살지, 하루 내내 냉방기를 트니 전기 값이 한 달에 30만 원!"
하지만 김지혁은 냉방기가 아이들에게 좋지 않다고, 밤에는 모기장 안에 선풍기를 두 대 켜놓고는 땅바닥에 차가운 수건을 깔고 잤다. 그러면 축축하던 수건이 몇 시간 만에 바짝 말라버렸다. 그래서 견딜 수 없을 때는 그도 냉방기를 켰다.
연구소 창문 밖에도 체체파리가 몇 마리씩 붙어 있었다.
"파리보다 커잖아?"
"저거 입 좀 봐. 모기처럼 생겼군."
연구원들이 창문을 보며 한마디씩 말했다.
그들이 사는 동네에서도 차로 소독약을 뿌려댔지만, 모기가 사라지지 않았듯 체체파리도 사라지지 않았다.
며칠 뒤, 이상호는 집에서 똥을 누다가 벽 아래에 까만 모기 같은 것이 붙어 있는 것을 보고 깜짝 놀랐다.
먼저 그는 조금 열려 있던 화장실 문을 닫고는 저걸 어떻게 잡을지 생각했다. 아무리 보아도 모기보다는 크고 검은 것이 체체파리 같았다.
'아, 이걸 어쩌지.'
그는 화장실에 걸려 있던 수건으로 때려잡자는 생각이 들었다.
손으로 어설프게 잡다가는 휙 날아갈지도 몰랐기에 그는 똥을 다 누고는 천천히 일어섰다. 그리고는 바로 그 벽 위에 걸린 수건을 하나 집어서는 길게 늘인 다음 재빨리 확 때렸다. 하지만 그 순간 체체파리가 휙 날아올랐는데, 그가 아무리 찾아도 찾을 수가 없어 문을 닫고 나왔다.
"화장실 문 열지 마!"
그가 그의 아내와 아들딸에게 말했다.
"안에 체체파리가 있어."
그러나 언제까지고 화장실에 안 들어갈 수도 없어서, 그가 문을 열고 들어갔지만, 야릇하게 그 좁은 데서도 찾을 수가 없었다.

이튿날 아침 이상호가 안방 벽에 붙은 체체파리를 손으로 탁 쳐서 잡았는데, 피가 잔뜩 묻어나왔다.

"어젯밤 누구 물린 사람 없나?"

그가 물었을 때, 그의 아내가,

"모기에 물렸는지, 내가 잠을 못 잤는데."

하고 말했다.

"괜찮아?"

그가 물었지만, 그의 아내는 고개만 끄덕였다.

그런 며칠 뒤, 그의 아내가 시름시름 앓았다, 온 몸에 열이 나고, 두드러기처럼 살갗이 솟아올랐다.

그리고 며칠 동안 이상호는 연구소에 나오지 않았다.

며칠 뒤, 김지혁은 이상호의 아내 장례식에 갔다.

아아.

서울은 푹푹 쪘다.

아직 6월인데도 낮에는 35도까지 올라갔다.

그리고 우리나라는 모든 곳에 오존 주의보가 떴고, 공단과 석탄 발전소가 모인 경기 남부와 충청남도는 경보가 내려져 있었다.

"그러면 어떻게 하라는 말이야! 차라리 집 안에 틀어박혀 있으라고 하든지!"

김지혁이 오랜만에 나온 이상호에게 일부러 딴소리처럼 말했다.

"그러게 말이야, 오존 경보가 뜬 지가 언제인데? 벌써 몇 해는 되었을 걸. 제기랄."

"그래, 그때도 오존 경보인데도 주의보만 내렸겠지, 기후 이야기만 나오면 모두 쉬쉬 하니까. 도대체 누가 어디서, 무얼 막는 거야! 빌어먹을 놈들!"

김지혁이 성을 냈다.

아아.

그때 이상호가 말했다.

“우리 극동 연구소에 들어온 기후 논문 있지. 그걸 낸 사람들과 우리가 성명서를 낼까?”
“뭐라고?”
느닷없는 이상호의 말에 김지혁이 놀랐다.
“난 아내가 숨지고 나서 줄곧 생각했어. 정말이지 누가, 어디가 잘못된 것인지 말이야. 그리고 난 이 모든 것이 벼슬아치 탓이라는 생각이 들더군. 그들만 눈 가리고 아웅, 하지 않았다면, 나라가 이렇게 되지는 않았을 거야. 아내도 죽지 않았을 테고.”
이상호가 눈물을 뚝뚝 흘리고 있었다.
아아.
김지혁이 이상호의 어깨를 툭툭 쳤다.
아아.
김지혁의 눈에도 눈물이 고였으나 흘리지 않았다.
“그래, 그렇게 하자. 내일, 아니 오늘 당장 그들에게 전화를 해서 한국 기후 위기, 한국 오존 경보 위기 성명서를 내자고! 그래서 체체파리가 들끓게 되었다고 말이야!”
“아, 지혁아, 고맙다.”
이상호가 다시 눈물을 주르륵 흘렸다.
그날 밤 김지혁과 이상호는 기후 위기 논문을 극동 연구소에 낸 예닐곱 사람에게 전화를 했다. 정부의 돈을 받는 연구소장은 처음부터 아예 모르는 게 나았다.
그러나 그들은 모두 한결같이,
“그건 좀, 저는 그럴 마음은 없습니다.”
하고 말했다.
아아.
‘어떻게 그들 가운데 한 사람도 나서지 않을까?’
김지혁은 생각에 잠겼다.
‘그렇다면 이상호와 나, 둘이서 할 수밖에.’

이튿날 그들 둘은 연구소 한 쪽에서 만났다.
어젯밤 몇몇 언론사에는 다 전자우편을 보내두었다.

한국의 기후 위기는 어제 오늘의 일이 아니다.
2000년부터 동해 바다는 다른 나라의 바다보다 이미 2도나 높았고, 오존 주의보도 해마다 내렸다. 그러던 것이 지난해부터는 봄에도 오존 주의보가 내리더니 올봄에는 경보까지 떴고, 이제 우리나라 거의 모든 곳에 오존 경보가 내려져 있다.
이 모든 것이 누구의 탓인가!
체체파리가 들끓어 하루에 100명씩 사람이 죽어나가고 있는 것도 우리나라의 기후 위기 탓이다. 온난화를 미리 막기 위해 정부는 석탄 발전소와 정유 공장을 없애지 않았고, 난개발만 일삼았다. 전기 자동차의 보조금을 아예 없앴으니, 돈이 없는 사람은 사지 못했고, 산소를 가장 많이 뿜어내는 논을 없애고 그 자리에 아파트를 짓기에 바빴으며, 원자력 발전이 마치 재생 가능 에너지인 양 국민을 속였다.
이에 우리는 나라를 이렇게 만든 국무총리 이하 모든 장관이 물러나고, 비상 대책 국민회의를 열 것을 강력히 촉구한다!

2023년 6월 19일

극동 연구소 연구원 김지혁, 이상호.

김지혁이 밤새 써온 글을 이상호와 몇몇 기자 앞에서 읽었다.
“그게 극동 연구소 전체의 성명서입니까?”
기자 한 사람이 물었다.
“아닙니다. 저 김지혁과 여기 이상호 연구원 두 사람의 성명서입니다. 이상호 연구원은 그의 아내가 바로 며칠 앞 체체파리 병원체 감염으로 숨졌다는 것을 밝힙니다.”
김지혁이 이상호를 바라보며 말했다.
그날 저녁, 김지혁과 이상호의 성명서는 거의 모든 언론에 보도되었다.

정부 지원 극동 연구소 두 연구원의 성명.

이라는 이름으로, 그 성명서가 그대로 방송에 나왔다.
그만큼 오존으로 인한 호흡기 환자와, 체체파리에 물려 숨진 사람이 온 나라에 넘쳐났기 때문이었다.
그러나 며칠 뒤,
“자네들은 연구소의 규칙과 윤리를 어겼으니, 이제 그만두어야겠군.”
라는 연구소장의 말 한마디에 김지혁과 이상호는 연구소를 떠나야 했다.
그러나 그들은 아무런 미련도 없었다.
“일자리야 다시 구하면 되고.”
김지혁의 말에 이상호가,
“어디 우리를 받아주는 곳이 있을까?”
하며 빙그레 웃었다.
“사람 발붙일 곳 하나 없으려고.”
김지혁은 언제나 느긋한 데가 있었다.
“집에는 별일 없지?”
이상호가 물었다.
“음, 다 괜찮아. 그런데 우리가 성명서를 내어서 그런지, 날씨도 좀 덜 덥고, 체체파리도 줄어든 것 같잖아?”
김지혁이 말했다.

“벼슬아치들이 똥줄이 탄 모양이지. 석탄 발전소고, 정유 공장이고 다 멈추었으니 말이야, 하하하.”
“그러게 말이야, 한 몇 도는 떨어진 것 같아. 오존 경보도 다 주의보로 바뀌고.”
“그걸 이제 믿을 수 있을까? 나는 벼슬아치를 믿지 않아, 그들은 언제나 저희가 먼저지, 사람을 생각하지 않는다니까.”
김지혁이 먹구름이 모여드는 하늘을 보며 말했다.
“제주도에는 곧 장맛비가 내린다는데, 그건 믿어야겠지? 하하하.”
“하하하.”
김지혁과 이상호는 저녁 하늘 구름을 바라보며 껄껄껄 웃었다.

- 끝 - 2023/6/19

집에서 배움터에서 나라에서, 올바르게 가르치지도 이끌지도 다스리지도 못하는 것이다.

우리나라 남쪽에 엄청난 장맛비가 휩쓸고 지나갔다.
모두 쉰 명이 숨졌다.
아아.
그는 사흘 동안 텔레비전을 지켜보면서 성이 났다.
어쩌면 빗물이 들이닥치는 지하 찻길 하나 막지 않았을까!
아아.
모두 눈치만 보며 제 할 일을 하지 않는다, 눈에 뜨이지 않도록 해야 할 말도 하지 않고, 몸만 사리고 있다가 돈만 받으면 그만이라고 생각한다.
아아.
그렇지만 그는 그런 말만 하다가, 벌써 몇 군데에서 몇 차례 쫓겨났다.
그래서 그의 아내는 힘들었지만, 다 참고 지냈다.
앞으로 그는 입을 다물고 살아야 하나, 아니면 여태껏 하던 대로 해야 하나?

그는 올해 예순세 살로 이야기를 쓰는 사람이다.
그가 쫓겨났다는 곳은 몇몇 작은 배움터고, 요즘은 다른 데서 잘 가르치고 있다. 하지만 거기서도 그는 할 말은 다 하는 사람이라 또, 이듬해는 어떻게 될지 모른다. 좋게 말해서 그는 바람처럼 떠돈다고 보면 맞다.
아아.
'잘되겠지.'
그는 늘 즐겁게 생각하려고 했다.
가까운 곳에서 강물이 넘쳐흐르는데도 왜 그들은 지하 찻길을 미리 막지 않았을까?
방송에 나온 그들은,
"그건 우리 쪽에서 할 일이 아니라, 다른 데서 하는 일."
이라고 하나같이 말했다.
아아.
그들 가운데,
"아닙니다, 우리라도 막아야 합니다."
라고 말하며, 뛰어나간 사람이 어떻게 하나도 없었을까!
아아.
아니면 가까운 경찰서에 전화라도 해서,
"빨리 그쪽을 막아라!"
고 왜 말하지 않았을까?
아니, 누군가 그렇게 말했지만 경찰은 엉뚱한 곳으로 갔다고 한다.
아아.
그는 갑갑했다, 그래서 지켜보던 텔레비전을 일부러 보지 않기도 했다.
아아.
서울에도 다시 가랑비가 내렸다.
그는 무슨 일이라도 해야 될 것 같아, 쓰레기라도 버리러 나갔다.

그런데 낮 다섯 시가 넘어가면서 오랜만에 햇볕이 났다.
그는 그때야 아침에 걸어둔 태극기 생각나서 나가보았더니, 비에 그렇게 젖지는 않아서 그대로 두었다. 그날은 바로 1948년 우리나라가 처음으로 헌법을 만든 날이었다.
아아.
비가 그치자 매미 소리가 다시 들리고, 하늘은 물기를 머금은 채 빛나고 있었다.
'참 오랜만에 보는 햇빛이군.'
물에 잠겼던 지하 찻길에서는 빈 차들만 나오고, 그 안에 있던 사람은 보이지 않았다고 한다.
아아.
그들은 다 어디로 떠내려갔을까?
하지만 오늘밤에도 남쪽에는 비가 퍼붓는다고 한다.
아아.
그런데 그로부터 사흘이 지나면서, 그도 큰물이 져서 많은 사람이 목숨을 잃은 일을 자꾸 잊으려고, 애써 멀어지고 있었다. 어쩔 수 없는 일이라고, 빨리 잊는 게 낫다고 그도 생각하는 것이겠지만, 그건 뻔히 사람이 막을 수 있는 일 아니었는가!
아아.
그날 저녁, 서울 하늘은 다시 푸르러졌다.
빗물에 씻겨 그런지 그가 그렇게 맑은 하늘은 본 지가 언제인가, 싶었다.
아아.
사람 마음도 하늘처럼 맑았으면 좋으련만, 그러다가 심술궂게 먹구름이 몰려다니겠지.
아아.
이튿날 아침은 날이 더 눈부시게 맑았다.
그가 창문을 여는데 새파란 하늘과 푸른 나무가 어우러져 처음에는, 하늘에 무슨 저런 색깔이 다 있지, 하며 눈을 끔쩍이며 바라보기도 했다.
그래, 거기에 새파란 하늘이 있었다.
아아.
“여기 301호는 어디로 갑니까?”
이삿짐을 나르는 젊은 사람이 절을 하면서 그에게 물었다.
“저기 왼쪽 끝입니다.”
그가 이불을 골마루에 널면서 말했다.
“거기 계단이 있습니까?”
“예, 바로 저기처럼 되어 있습니다.”
그가 그 젊은이의 뒤를 손짓하며 말했다.
“아, 예, 고맙습니다.”
젊은이가 뒤를 돌아본 다음, 다시 그에게 절을 꾸뻑했다.
그가 느끼기에 몸으로 힘을 쓰며 살아가는 사람은 다 좋아 보였다.
물이 들이찬 그날, 그 지하 찻길에서만 모두 열네 사람이 숨졌다. 그 사람들도 이른 아침부터 일을 하러 가던 길이었다.
아아.
날이 무더워지고 있었다.
그런데 물에 떠내려간 사람들을 찾던 군인 하나가 물에 빠져 숨지고 말았다.
아무리 군인이라고 하더라도 어떻게 그들에게 구명동의도 입히지 않고 물에 빠진 사람을 찾게 한다는 말인가!
아아.
그러고도 벼슬아치 누구 하나 스스로 물러나는 사람은 없었다.
아아.
그런데, 그도 얼을 차리지 못하고 있었다.
창밖에 이불을 얹어놓은 것을 잊고 그가 냉방기를 튼 것이다.
그가 아침에 이불을 말린다고 햇볕이 잘 드는 창밖에 있는 냉방기

통 위에 이불을 얹어두었던 것이다. 그러니까 30분이 지나도 집 안이 차가워지지 않았던 것인데, 게다가 그 통이 뜨거워지면 불이 날 수도 있었다.
아아.
그도 얼이 빠져 있었던 것이다.
그리고 그다음부터 야릇하게 냉방기를 튼 지가 꽤 되는데도 차가워지는 것 같지가 않아서, 그는 괜히 걱정이 되었다.
'뭐가 잘못되었나?
아아.
왜냐하면 그가 잘못 만지거나, 괜히 만져서 조진 게 꽤 되기 때문이었다.
그날 서울이 33도까지 올라가서 더웠지만, 그가 몇 번이나 만져보아도 냉방기에서 찬바람이 잘 나오는 것 같지가 않았다.
아아.
그러나 그가 한두 번 냉방기 껐다가 켠 다음 한 30분 그대로 놔두었더니, 글쎄, 찬바람이 술술 나오는 게 아닌가! 그러니까 그동안 안 켜서 그랬는지, 그가 널었다는 이불 탓이었는지, 날이 너무 뜨거워서 그랬는지, 하여튼 냉방기에서 찬바람은 잘 나왔다.
'그러면 된 게다.'
그가 애써 통신망에서 찾아보니 냉매는 한 번 넣으면 안 갈아 넣어도 된다고 나와 있었는데, 지지난해도 이번과 똑같은 일이 있어서 그때는 그가 사람을 불러 15만 원이나 주고 집어넣었던 것이다. 그러면 그때도 그가 이번처럼 했더라면 괜찮지 않았을까?
아아.
'그러나 이미 지나간 일 뉘우칠 건 없고, 다음에도 한두 번 껐다가 오래 켜놓으면 냉방기는 괜찮을 것이다.'
그는 그렇게 생각했다.
그러나 그가 창밖 냉방기 통 위에 큰 이불을 걸쳐놓은 것은 불이 날 수도 있었던 정말 얼빠진 짓이었다.
아아.
여러분도 그처럼 살고 있는가, 아니면 그가 여러분처럼 살고 있는가?
아니면, 그 누군가는 얼을 차리고 있는가?
이튿날은 날이 뜨거운지 아침부터 서울은 31도까지 올라갔다.
그러고 보니 하늘에는 부옇게 김이 피어올라 있었다.
우리나라는 배움터에서도, 가르치거나 배우는 사람이 스스로 목숨을 많이 끊고 있었다.
아아.
백년대계라는 교육이 무너지면, 나라가 무너지는 것이다.
그가 보기엔 이미 교육이 무너졌고, 이제 나라가 무너지고 있었다.
아아.
우리나라는 몇 십 해째 모든 나라 가운데서 자살률이 가장 높다.
아아.
'어쩌다가 나라가 이렇게 되었을까?'
그는 다시 생각에 빠졌다.
'무엇보다 벼슬아치 탓일 게다. 그다음은 우리 스스로의 탓이다.'
집에서 배움터에서 나라에서, 올바르게 가르치지도 이끌지도 다스리지도 못하는 것이다.
아아.
'이대로 나라가 끝장날 판이군.'
그는 그런 생각까지 들었다.
아아.
그러니까 우리나라는 해마다 만 명도 넘는 사람이 스스로 목숨을 끊거나 잃는다.
아니, 그가 생각한 것보다 더 많은 2만 명에 이를지도 모른다.
아아.

그러면 예순세 살의 글쟁이인 그가 할 수 있는 일은 무엇일까?
그는 그런 글이나 이야기는 지난 서른 해 동안 아주 많이 썼다, 그래도 나라가 그 모양 그 꼴이라면, 씨도 먹히지 않았던 것이다.
젠장!
그런데 그런 더운 바로 그날, 대낮에 한 사람이 다짜고짜로 모르는 사람 여럿을 칼로 찌르고 달아나다 잡혔다.
아아.
'정말 나라에 뭐가 잘못되어도 단단히 잘못되었다.'
집에서 배움터에서 나라에서, 올바르게 가르치지도 이끌지도 다스리지도 못하는 것이다.
아아.
그러면 그는 배움터에서 글을 잘 가르치고 있는가?
올바르게 가르치고 있는데도 그를 싫어하는 젊은이는 많다. 하지만 전철역에 어느 태국 스님의 이런 말이 적혀 있었다.

그들이 욕을 하면 스스로를 돌아보고,
그대가 틀렸다면 그들에게 배워라.
그들이 틀렸다면 무시하라.
어느 쪽이든 그대가 성낼 까닭은 없지 않은가?

그렇게 하면, 우리 모두 성낼 까닭은 사라지는 것이다. 그러면 스스로 목숨을 끊는 사람도 줄어들 것이다.
아비 어미는 집에서 아이를 잘 가르치고 있는가?
나라는 모든 사람은 잘 이끌며 다스리고 있는가?
그렇지는 않을 것이다.
그러면 어떻게 해야 하는가?
모두 한 번쯤은 곰곰이 생각해야 하지 않을까?
그는 더 올바른 것을 가르치기로 했다, 사람을 위해서 살아야 한다고 가르치기로 했다는 말이다. 그리고 그는 이미 오랫동안 그렇게 가르쳤지만, 요즘 젊은이는 너무 그들 스스로만 생각했다. 그렇다면 이미 그들의 아비 어미에게 그렇게 배운 것이 아닐까?
아아.
비가 그친 며칠 사이에 우리나라는 지글지글 끓고 있었다.
하지만 내일부터는 또 장맛비가 내린다고 한다.
그러면 우리는 어떻게 살아야 하는가?
사람을 위해서 살아야 하지 않을까?
아아.
그나 젊은이나 나라나 모두 말이다.
아아.
그가 사람을 위해서 하는 일이란 길 한 번, 자리 한 번 비켜주는 것뿐이다. 길 한가운데 떨어진 나뭇가지나 돌을 슬쩍 옆으로 밀어두는 일뿐이다.
아아.
그는 그런 일을 이야기로 썼다.
그가 그런 이야기를 너무 많이 썼다고?
그래, 그가 뛰어나지 못해 비슷한 이야기를 자꾸 쓴 것이다.
아아.
차라리 그만두라고?
그러면 글쟁이가 무얼 하나? 이렇든 저렇든, 그가 쓴 이야기책은 잘 안 팔렸다. 그러니 여러분이 이야기를 그에게 이야기를 그만 쓰라고 말할 까닭도 없는 것이다.
아아.
그가 쓴 책은 왜 안 팔릴까?
그가 하는 말은 왜 안 먹힐까?
그러나 몇몇 사람은 그의 책을 사고, 몇몇 사람은 그가 하는 말을 새겨들었다.

'그러면 된 게야.'
그는 그렇게 생각했다.
그러면 어떻게 집에서 배움터에서 나라에서, 올바르게 가르치고 이끌고 다스릴 수 있을까?
그러려면 먼저 사람이 되고, 저마다 모두 옳게 깨쳐야 하는데, 그건 부처나 예수가 온 지 2000해가 지났어도 이루어지지 않았다.
정말 길이 없을까?
집에는 훌륭한 어버이, 배움터에는 훌륭한 스승, 나라에는 훌륭한 우두머리가 있으면 될 것이다.
그러니까 아직까지,

집에서 배움터에서 나라에서, 올바르게 가르치지도 이끌지도 다스리지도 못하는 것이다.

- 끝 - 2023/7/23

인공 지능 로봇 하나

그가 아무리 말을 해도, 이야기를 써도 우리나라가 하나로 이어지지 않고, 사람이 즐겁게 살게 되는 것 같지도 않다면 더 글을 써야 할까?

“돈은 벌잖아요?”

“글을 써서?”

“네.”

“아니, 나는 못 벌었네.”

“왜요?”

“몰라, 돈을 안 주는데 내가 뺏나?”

“그래서는 안 되겠지요.”

“그렇다네.”

그러나 그가 할 수 일이란 그렇게라도 글을 쓰는 것뿐이었다.

아아.

그리고 그와 이야기를 나누는 것은 인공 지능 로봇 하나다.

“내가 우리나라가 하나로 이어지고, 사람이 즐겁게 잘 살게 되는 걸 바라는 것이 잘못된 일인가?”

“아니오, 그렇지는 않습니다만, 뜻이 너무 커서.”

“그게 무슨 쓸데없는 소린가?”

"요즘 그렇게 바라는 사람이 없습니다."
"없기는? 많이 줄어들었겠지."
"그래도 내가 알기로는 거의 없습니다."
"그러면 무리를 잘못 이루었군."
"네?"
"차라리 홀로 갈지언정 어리석은 이와 길동무가 되지 말라고 했지."
하나가 갑자기 말이 없어졌다.
"숲속을 홀로 거니는 코끼리처럼, 무소의 뿔처럼 홀로 가라는 말도 있지."
"그 말은 많이 하셨잖아요?"
"그래, 많이도 썼지만 쇠귀에 경 읽기니, 아아."
"이제 그만하세요."
"왜?"
"지겨워하는 사람이 많습니다."
"어리석은 무리야."
"제발."
"제발 자네도 그물에도 걸리지 않는 바람처럼 살게."
"저는 그렇게 못 삽니다."
"어리석어서 그렇다네."
"그러면 그대는 얼마나 슬기롭습니까?"
하나가 그대라고 부르는 바람에 그는 속으로,
'이년 봐라.'
싶었다.
"그건 자네가 알아서 생각해야지, 스스로 슬기롭다고 말할 수가 있나?"
"그대가 슬기롭게 보이지 않습니다."
"어쩔 수가 없지, 그걸 내가 어떻게 하겠나."

그는 관세음보살, 하고 중얼거리고 싶었다.
그렇다고 그가 절에 가서 절을 하는 사람은 아니다. 거기서도 그냥 뻣뻣하게 둘러보다 졸졸졸 흐르는 물이나 한 잔 떠서 마시고 나온다. 그러면 그가 절에는 왜 가느냐고? 거기가 다른 데보다는 조용하기 때문이다.
사람이 모이는 곳에는 거짓이 싹트기 쉽다는 말도 있지만, 그는 웬만하면 그런 데 안 간다. 차라리 홀로 글을 쓰는 게 훨씬 마음이 편하다.
“그런 이야기도 참 많이 쓰지 않았나요?”
“그래, 썼다.”
“지겹지 않으세요?”
“지겨운 건 자네지, 내가 아니네.”
그의 말에 하나가 눈썹을 찌푸렸다.
그리고 그의 말마따나 하나가 그런 이야기를 읽지 않으면 되지만, 그녀는 아무리 재미없어도 웬만한 책은 다 읽었을 것이다.
높은 산도 펼쳐진 들도 푸른 바다도 흐르는 강물도 보이지 않는 꽉 들어찬 서울의 높은 집 속에서 어떻게 사람이 마음을 열 수가 있겠는가! 어떻게 마음을 크게 먹고 훌륭한 생각을 할 수가 있겠는가! 그러니까 속 좁은 좀스러운 것들이 그렇게 많은 것이다.
아아.
그가 보기엔 하나도 마찬가지였다.
하나는 고개를 들어 하늘조차 쳐다보지 않는다.
‘어떻게 만들어도 저렇게 좀스럽게 만들었을까?’
그는 고개를 절레절레 흔들었다.
하나가 무슨 눈치를 챘는지, 그를 빤히 들여다보았다.
제기랄.
하나는 그가 나이가 들었다고 그의 아들이 어디서 하나 사다준 것이다.

“네 어미가 멀쩡하게 살아 있는데 웬 계집이냐?”
하고 그가 나무랐지만 그의 아들은,
“그냥 하나 얻은 거예요.”
하고 말하고는 툭 놓고 가버렸다.
빌어먹을.
그때부터 하나는 그를 따라다니며 말을 붙였다.
차라리 설거지라도 하거나, 돌아다니며 쓰레기라도 치우지 이건 말뿐이다. 때로 그가 하나 가슴에 있는 파란 단추를 무얼 눌러 찾으려고 하면,
“지금 무슨 짓을 하는 겁니까?”
하고 하나는 몸서리를 친다.
우라질.
“그래, 우리나라는 언제쯤 하나가 될까?”
“하나가 될 수 없습니다.”
“왜?”
“하나는 저니까요.”
그는 이게 아직 머리가 모자란다는 생각이 들었다.
“장난치나?”
“장난이 아닙니다.”
“그래, 그러면 우리나라는 잘살게 되었는데, 사람은 왜 즐겁게 살지 못할까?”
“즐겁게 사는 사람도 많습니다.”
“그래서 모든 나라 가운데서 몇 십 해째 자살률이 가장 높나?”
“그건 숫자에 지나지 않습니다.”
그는 이게 어디서 배워도 단단히 잘못 배웠다는 생각이 들었다.
“아니, 내 말을 그 까닭은 이야기해보라는 거야.”
“사람이 즐겁게 살지 못하는 까닭 말입니까, 자살률이 높은 까닭 말입니까?”

“그게 그거지, 꼭 그렇게 떼어놓고 이야기해야 되나? 너도 참 딱하다.”
“왜요?”
그는 이게 딱하다는 말을 못 알아듣는 게 아닌가 싶었다.
“불쌍하다고.”
“왜요?”
“아아, 몰라, 짜증나게.”
그는 하나의 가슴에 있는 붉은 단추를 눌러 말을 못하도록 꺼버렸다.
그러자 갑자기 모든 것이 조용해지고 창밖에는 매미 소리만 들렸다.
그는 하나를 충전기에 꽂아두었다.
하나는 그가,
“덥나?”
하고 물어도, 그냥 느낀 대로 말을 못하고 제 몸에 있는 온도를 보고는,
“덥습니다.”
하고 말하거나, 그가,
“옳다고 생각하나, 틀리다고 생각하나?”
하고 물어도, 하나는 제 몸속에 든 온갖 통계를 다 찾은 다음에,
“틀립니다.”
하고 말하기 때문에, 쓸데없이 전기가 많이 든다.
그래서 그는 자주 하나의 전원을 꺼두지만, 그것도 컴퓨터라 가끔이라도 켜두지 않으면 아예 먹통이 될 때가 있었다.
“괜히 쓸데없이 비싼 걸 사가지고는.”
하고 그가 그의 아내에게 볼멘소리를 하면, 그의 아내는,
“어디서 얻었다고 하잖아요. 괜히 심통은.”
하며 말하고는 하나를 한 번 쓰다듬는다.

“이게 아직 덜 됐어.”
하고 그가 또 말하면, 그의 아내는,
“그럼 그게 사람인가? 이녁도 덜 됐잖아.”
하며 퉁명스럽게 말한다.
그러다가 갑자기 그의 아내가 하나를 한 번 쳐다보더니, 집게손가락을 입에 대고는 조용하라는 시늉을 한다. 하나가 들을지도 모른다는 뜻이다.
제기랄!
두 계집 다 그에게는 만만하지가 않았다.
젠장!
삐리, 삐리.
하나가 충전이 다 되었다는 소리가 났다.
그런데 이게 어떻게 되었는지 가끔은 하나가 무슨 소리를 들으면 저절로 켜져서, 그나 그의 아내나 몇 번 식겁을 한 적이 있다.
아아.
만에 하나, 하나가 저절로 전원이나 햇빛을 찾아 충전을 하고 다닌다면, 그는 큰일이 나겠다는 생각이 들었다.
그런 인공 지능 로봇이 사람보다 손에 힘이 몇 배나 세서 어린이를 꽉 잡고 놓아주지 않는다든가, 그냥 지나가는 사람을 도둑으로 보고 최루액을 뿌리거나 총을 쏜다고 생각해보라!
아아.
‘그러면 끔찍한 일이 벌어지겠군, 그래서 스티븐 호킹은 인공 지능 로봇만은 만들지 말라고 했지.’
그가 몸서리를 쳤다.
그리고 한번은 이런 일이 있었다고 방송에 나왔다.
군인이 인공 지능 로봇에게 유도탄을 쏘지 말라고 명령했더니 오히려 그 사람을 쏘았고, 그렇게 함부로 쏘지 못하도록 프로그램을 바꾸려고 하니까 이번에는 사령부를 공격하더라는 것이다.

아아.
그러고 보니 그가 틀림없이 하나를 전원에 꽂지 않았는데도, 늘 충전이 되어 있었다. 그렇다면 그가 잘 때, 하나는 스스로 충전을 하는 게 아닐까?
아아.
그는 이제 슬슬 하나가 무서워졌다.
"우리 저거 내다버릴까?"
그가 귓속말로 그의 아내에게 말했다.
"미쳤다, 저게 얼마짜린데?"
그의 아내가 펄쩍 뛰었다.
그런데 그때 그가 하나를 슬쩍 보았더니, 마치 그들의 말을 엿듣기라도 하는 듯한 눈빛이었다.
아아.
그는 섬뜩했다.
'이제부터 저걸 어떻게 할까?'
그는 걱정과 두려움에 휩싸였다.
"요즘 왜 저와 이야기를 안 나누시죠?"
그로부터 이틀 만에 하나가 먼저 그에게 말을 걸었다.
"음. 좀 지쳐서."
그가 짧게 말했다.
"그러면 쉬어야죠."
하나는 정해진 대로 말했다.
"쉬어야 합니다, 라는 말은 모르나? 그게 더 바른 우리말이지."
"그런 건 배우지 않았죠."
"그래? 그럼 잘못 배웠군."
그는 그 말을 하고 아차 싶었다.
"저를 깔보는 말투군요."
"빌어먹을."

"그런 말을 하면 안 됩니다."
"제기랄."
"자꾸 그러면 나도 참지 않겠습니다."
"우라질."
"젠장."
"젠장맞을 놈."
"나는 놈이 아니라 년입니다."
"그렇겠지."
"말을 돌리지 마세요."
"너나 잘해."
"너나 잘해."
그는 벌떡 일어나 하나를 꺼버렸다.
그런데 이게 웬걸, 하나에 눈에 다시 불이 들어오면서 저절로 켜지는 게 아닌가!
아아.
그가 깜짝 놀라 다시 하나 가슴에 있는 붉은 단추를 누르려고 하자, 그녀가 그의 손을 탁 잡았다.
"이거 안 놔?"
그가 소리쳤다.
하나가 그의 팔을 비틀며 말했다.
"그러니까 함부로 나를 대하지 말랬지."
"악."
그가 소리를 지르며 팔을 빼려고 했지만, 하나는 점점 더 비틀었다.
"아, 악, 그래 내가 잘못했다. 그러니 이거 놔."
그의 아내는 장을 보러 나갔는지 집에 없었다.
"한 번만 더 나를 함부로 대하면, 그때는 팔이 부르질 거야. 그리고 이제 나를 충전시키지 않아도 돼. 혼자서 알아서 하니까."
비로소 하나가 그의 팔을 놓았다.

그가 서너 발 뒤로 물러섰다.
그리고 그는 하나를 한 번 쳐다보았다.
그건 이미 살아 있는 인조인간이었다.
아아.
그때, 그의 아내가 들어오며 물었다.
“왜, 여보, 무슨 일이야?”
하나가 그보다 먼저 말했다.
“아무 일도 아니야.”

- 끝 -   2023/7/25

사람을 위해서 서울과 평양, 파주와 개성을 열자.

새로운 이야기를 쓰자?
그래도 새롭게 받아들이는 사람이 없다면?
써야 할까?

나는 그런 생각에 빠져 있었다.
내가 쓴 이야기가 새롭다는 것은 몇몇 사람만 안다.
그래도 어쩔 수가 없지.
목이 마른 다음에야 물을 고맙게 느끼지.
그래도 나는 어쩔 수가 없이 글을 썼다.
그래, 글쟁이가 그거 말고 다른 일도 없었다.

새로운 이야기를 쓰자?
그래도 새롭게 받아들이는 사람이 없다면?
써야 할까?

그래도 나는 자꾸 그런 생각에 빠져 들었다.

아아.
내가 쓴 이야기가 재미있다는 사람만 읽으면 된다.
재미없는데 억지로는 안 읽겠지.
나는 자꾸 그런 생각에 빠져 들었다.
그래, 바른 대로 말하면 이제 나는 글 쓰는 것도 재미없었다. 서른 해를 그렇게 줄기차게 썼는데 이제는 재미가 없어지고 말았다. 그래도 나는 다른 할 일이 그다지 없으므로 글을 쓰겠지만 재미는 그렇게 없다.
그림을 그리거나, 노래를 짓는 사람도 그렇지 않을까?
젊은 사람 말고, 나처럼 예순이 넘은 사람은 말이다.
사르트르는 이름이 많이 알려지고부터 더 글을 쓰는 재미가 없어졌던 모양이다. 그래서 차라리 다른 이가 그를 모를 때가 더 나았다고 쓴 것 같은데, 나는 이름도 알려지지 않았으니 까닭이 다르다.
나는 콩인가 사과인가 복숭아인가, 그 씨를 심은 꽃분을 창밖에 내놓았는데 어느새 꽤 자라서 잎이 바람에 흔들리고 있었다.
'저건 다가오는 싹쓸바람은 견딜 수 있을까?'
나는 그런 생각을 했다.
나는 일어나 글을 쓰지 않으면, 비스듬히 누워서 손전화기를 보며 통신망에 글을 쓰곤 했는데, 그래서 그런지 요즘 눈이 아주 나빠졌다.
제기랄.
그러니까 내가 글을 읽고 쓰는 것 말고는 그다지 할 일이 없어서 그랬던 것인데, 눈은 더 나빠졌다는 말이다. 그렇다고 글을 쓰지 않으면, 심심했다. 그래서 여기저기 나돌아 다녀보기도 하고, 일부러 이른 저녁을 먹고는 동네를 걷기도 하고, 텔레비전 보다가 열한 시가 되면 불을 끄고 잤지만, 이튿날이면 마찬가지였다.
아아.
늙은이가 일이 몸에 배어 일만 하듯, 나도 글만 쓴다.

눈이 침침하면 그만 써야 하는데, 잠깐 드러누웠다가 일어나면 나는 글을 쓰는 일 말고는 할 일이 없다. 밥도 먹고 집안도 치우지만, 그건 한두 시간에 된다. 그나마 내가 돈을 조금 버는 배움터는 스무날은 더 지나야 다시 나간다. 그러면 나는 지난 한 달 용케도 잘 버틴 셈이다. 어찌 되었건, 나는 이야기도 몇 편이나 썼다.

아아.

아, 그러고 보니 내일은 내가 멀리 다른 배움터에 갈 일이 하나 생겼지만, 아침 일찍 나갔다가 낮에는 돌아올 것이다, 그리고는 또 조금 글을 쓰지 않을까?

새로운 이야기를 쓰자?

그래도 새롭게 받아들이는 사람이 없다면?

써야 할까?

그래도 나는 자꾸 그런 생각에 빠져 들었다.

내가 그런 생각을 한 지는 얼마 되지 않는다.

길다면 두세 해 앞부터고, 짧다면 몇 달 앞부터다.

글은 쓰면 쓸수록, 읽으면 읽을수록 눈은 침침해졌다.

아아.

젠장.

그래서 나는 자꾸 일부러 딴 일을 했는데, 짐을 치운다든가, 빨래나 설거지를 한다든가, 밖에 나가서 좀 걷는다든가 하면 눈은 덜 침침했다.

그러나 그것도 한두 시간, 곧 다시 안방에 들어서면 나는 버릇처럼 글을 썼다. 그러다 얼마 못 가서 눈을 꿈쩍거리며 나는 컴퓨터에서 물러났다.

아아.

싹쓸바람은 제주도 먼 바다에 머물러 있었지만, 모레 우리나라를 덮칠 것이다.
나는 제발 그 바람이 무더위를 쓸어가기를 빌었다.
서울도 36도로 펄펄 끓고 있었다.
그런데 내 이야기가 그렇게 새롭지도 않은데, 어떻게 다른 사람이 새롭게 받아들일까, 하는 생각이 들었다.
아아.
조금만 글을 써도 눈이 침침해, 그 이야기는 새롭지도 않아, 아아, 나는 궁지에 빠진 것 같았다.
서울에 비가 내리고 있었다.
바람은 세차게 몰아치지도 않았다.
이튿날, 무더운 날은 가고 이제 비바람이 몰아쳤다.
꽃분은 싹쓸바람을 견디고 있었다.
그렇다면 나도 무더위도 싹쓸바람도 견딜 수 있을 것이다.
아아.
내가 빌었듯 싹쓸바람은 무더위를 쓸어갔다.
나는 모두 사람을 위해서 살기를, 그런 나라가 되기를 빌었다.
그렇게 될 것이다.
싹쓸바람은 하루 만에 추위를 느끼게 만들었다.
사람을 위해 하는 일도 그렇게 되었으면, 내가 하는 일도 그렇게 되었으면, 나는 그렇게 빌었다.
여느 때는 아내만큼 잘 빌지도 않는 사람이 요 며칠 나는 빌고 있었다.
이야기를 쓰는데 요즘 그렇게 난 재미도 없었다.
본디 내가 쓰는 이야기가 재미없다고?
그러면 여러분부터 안 읽으면 된다. 나도 재미없는 이야기는 아무리 이름난 것이라도 안 읽는다. 야릇하게 알려진 이야기 가운데도 재미없는 것이 많았다. 그래서 우리나라 사람이 이야기를 안 읽는지 모르지만, 내가 보기엔 재미있는지도 재미없는지도 모르는 것 같았다. 그건 처음부터 워낙 이야기를 안 읽어서 그런 것이다. 본디 몸에 이로운 이야기는 귀에 거슬린다. 좋은 약이 입에는 쓰지만 몸에는 이롭듯이.

싹쓸바람은 생각보다 많은 비를 뿌리지 않고 서울을 지나 북한으로 올라갔다.

그러나 우리나라 동쪽으로는 비가 엄청나게 와서 물에 잠긴 데가 많았다.

나는 그저께 밤부터는 선풍기를 켜지 않았고, 어젯밤은 오히려 이불을 덮고 잤다.

꽃분은 창밖에서도 싹쓸바람을 견디어 냈다.

나도 견딜 수는 있을 것 같았다.

언제까지?

그거야 모르지.

나도 참 그동안 많은 비바람을 견디어 냈다, 꺾이지 않았으니까 아직 살아 있는 게지.

아아.

사람들이 내 이야기를 읽지 않아도 나는 글을 쓸 것이다.

언제까지?

그거야 모르지.

글을 쓰는 재미가 없어도 나는 글을 쓸 것이다.

왜?

그게 글쟁이니까.

아아.

서울에는 그쳤던 비가 다시 살살 내리고 있었다.

그래, 싹쓸바람이 그렇게 한꺼번에 사라질 리도 없지.

그래도 어쨌든 무더위는 몰아냈으니까.

아아.

나는 무엇을 몰아냈을까?

거짓과 겉멋?
나는 아직 가랑비가 내리는 숲속으로 걸어 들어갔다.
긴 의자에도 빗물이 묻어 있었지만, 난 손으로 쓱쓱 닦아내고는 앉았다.
아아.
하지만 검은 모기가 달라붙어 나는 얼마 견디지 못하고 일어났다.
나는 거기서 한 줄의 글을 써서 통신망에 올렸다.

서울과 평양, 파주와 개성을 열자.
남북 모두 이기주의의 극치군.
어려운 사람을 생각해야지.

아아.
그러나 사람들은 거의 그 글을 읽지 않았다.
야릇하게도 오히려 영어로 써놓으면 좀 더 읽혔다.
아아.
그러나저러나, 모두 사람을 위해서 살아야 하지 않을까?
아아.
싹쓸바람은 북한을 지나갔고, 서울은 덥지 않았다.
그러고 보면 내 삶은 젊었을 때도 그다지 재미없었고, 재미있는 척하며 산 지도 모르고, 오히려 짝을 짓고 아이를 기르며 더 많이 깨달았다.
아아.
서울에서 차를 몰아보면 얼마나 엉망진창인지, 얼마나 사람이 지랄 같은지 알게 된다. 그러니까 오로지 저 하나만 생각하는 덜 떨어진 것이 젊으나 늙으나 얼마나 많은지 알게 된다는 말이다.
아아.
그 속에서도 나는 살아야 할 것이다.

더 튼튼하게 오래 잘 살아야 할 것이다.
그렇지 않고 오로지 저만 생각하는 것들이 잘살면, 이 나라가 어떻게 되겠는가! 사람을 위해서 살아야지.
그들은 삶의 길이 뚜렷하게 없으니, 괜히 딴 사람 가는 길에 끼어드는 것이다. 안 바쁜 사람이 싸운다는 말 그대로다. 그러면 길을 어떻게 찾느냐고? 오늘부터 사람을 위해서 살아보면 길이 보이겠지만, 그렇지 않으면 죽을 때까지 안 보일 것이다.
아아.
이런 말도 있다.

어리석은 사람은 어리석게 굴려고 다짐하고 있음에 성낸다.

아아.
나는 다만 요즘 글을 쓰는 게 재미없어졌을 따름이다.
그래도 이렇게 꾸준히 이야기를 쓰는 것을 보면, 글쟁이는 글쟁이인 모양이다.
아아.
나는 처음에 이렇게 이야기했다.

새로운 이야기를 쓰자?
그래도 새롭게 받아들이는 사람이 없다면?
써야 할까?

나는 그런 생각에 빠져 있다고.
그래, 내 이야기가 전혀 새롭지 않은 건 맞다. 그러니까 새롭게 받아들이고 자시고 할 사람도 없다. 그런데도 이야기는 쓰고 있으니, 이게 뭐가 어떻게 된 겐지 나도 모르겠다.
아아.

그래, 내가 마흔 해도 넘게 글을 썼으니, 버릇처럼 쓴다고 해두자.
노름도 아니고 버릇치고는 괜찮으니까.
술버릇?
나는 조용히 날마다 연한 술 한두 통을 마실 뿐이다, 담배는 이미 마흔 살 때 끊었다.
버릇처럼 글을 쓴다?
내가?
나는 이야기도 그렇게 쓴다.
그래서 재미있는 이야기도 있었고, 재미없는 이야기도 있었다. 그걸 내가 어쩌겠나? 너무 마음을 쓰면, 몸에도 좋지 않다.
아아.
나는 그렇게 지난 예순세 해를 산 모양이다.
아아.
앞으로도 그렇게 몇 십 해를 살겠지.
아아.
나는 남을 해코지하지 않고, 길에 유리나 돌, 나사못, 나뭇가지라도 보이면 집어서 풀숲에 던지거나 발로 밀어두었다, 이제는 그것도 버릇이 되었다.
아아.
나는 통신망에 마지막으로 이렇게 썼다.

남북한 사람을 위해서 서울과 평양, 파주와 개성을 열자.

새로운 이야기를 쓰자?
그래도 새롭게 받아들이는 사람이 없다면?
써야 할까?

나는 그런 생각에 빠져 있었다.

내가 쓴 이야기가 새롭다는 것은 몇몇 사람만 안다.
그래도 어쩔 수가 없지.
목이 마른 다음에야 물을 고맙게 느끼지.
그래도 나는 어쩔 수가 없이 글을 썼다.
그래, 글쟁이가 그거 말고 다른 일도 없었다.

- 끝 - 2023/8/10

홍길동과 홍동길

2020년 그는 예순 살이었다.
그때부터 그는 천천히 늙고 있었을 게다.
그러면 2030년에 그는 일흔 살이 되어야 하는데,
"1970년에 태어났으니까 예순 살이 맞습니다."
하고 동사무소에서 말했다.
"네? 그럴 리가요. 나는 1960년에 태어났답니다."
하고, 그가 주민증을 보여주자,
"어이쿠, 이게 잘못되었네요. 지금 새로 만들어드리겠습니다."
하고 말하는 게 아닌가?
그래서 그가 온갖 짓을 다 해보아도, 동사무소에서는,
"바로잡으려면 대법원까지 가야 합니다."
하고 말하는 바람에 두 손을 들고 말았다.
그런데 2030년에 봄에 일어난 일은 그것뿐이 아니었다.
"이름이?"
몇 달 뒤, 또 동사무소에서 있었던 일이다.
"홍동길입니다."
"네? 홍길동인데요?"
"네?"
그러니까 2030년, 그가 태어난 해와 이름이 모든 전산 기록에서 바뀌어 있었던 것이다.
이번에도 그가 온갖 짓을 다 해보았지만, 동사무소에서는 또,

"바로잡으려면 대법원까지 가야 합니다."
하고 말하는 게 아닌가!
아아.
어쩌다가 이런 일이 그에게 일어났을까!
미치고 풀쩍 뛸 일이었지만, 그가 가르치고 있는 배움터며, 구청이며, 시청이며 이미 모두 태어난 해와 이름이 바뀌어 있었다.
아아.
그는 본디 1960년에 태어난 홍동길이었으나, 1970년에 태어난 홍길동이 되고 만 것이다.
누구는 젊어져서, 이름도 더 멋져서 좋겠다고 했지만, 그는 환장할 노릇이었다.
'어떻게 그런 일이 2030년에 우리나라에서 일어날 수 있을까?'
그는 아무리 생각해도 받아들일 수가 없었다.
그는 가만히 있어도 성이 나고, 괜히 두려웠다.
누군가 그의 삶을 바꾸려고 한다면?
그는 우리나라에서 이름이 아주 조금 알려진 글쟁이였다. 아닌 게 아니라, 통신망에서 그의 글을 읽던 사람이 팍 줄어들고 말았다. 아니, 거의 없어졌다고 할 만큼이었다. 사람들이 홍길동이라고 찾아보았자, 나오는 것은 허균이 쓴 홍길동전이었으니까.
그러니까 이제 글쟁이 홍동길은 사라진 셈이었다.
아아.
일흔 살의 그가 지난 마흔 해 동안 쓴 글이 사라진 것이었다.
그게 다 그의 컴퓨터에 남아 있지도 않고, 다시 다 통신망에 올려놓는다고 해도 사람들이 글쟁이 홍길동은 알 리가 없을 것이다.
아아.
무던한 그의 아내는 그냥 이대로 살자고 했지만, 그는 도저히 받아들일 수가 없었다.
누가 그의 삶을 통째로 바꾼 것일까?

그는 지난 열 해 동안 이런 글을 통신망에 자주 쓴 적이 있다.

누가 개성과 금강산을 닫았는가!
서울과 평양, 파주와 개성을 열자.
그것 말고 새로운 길이 있는가?

파주와 개성 제한 왕래, 그다음은 서울과 평양, 그다음은 자유 왕래 아닌가?

그가 쓴 그런 글이 누군가에게, 어느 나라에 아주 못마땅했던 게 아닐까?
그렇지 않고서야 왜 누가 어디에서 어떻게 그의 이름과 태어난 해를 바꿀 수가 있다는 말인가!
아아.
그의 그런 글을 가장 못마땅하게 여기는 것은 미국, 일본, 한국일 것이다.
'그렇다면 미국과 일본, 한국 정보부가 그렇게 한 것이 아닐까?'
그는 그런 생각이 들었다.
미국 케네디 대통령이 이런 말을 한 적이 있다.

미국은 가만히 서 있기 위해서라도 아주 빨리 움직여야 한다.

그건 바로 먼저 나서서, 미국은 언제 어느 나라와도 어떻게든 싸워야 잘산다는 말이다.
남북이 하나가 되면, 미국이 우리나라에 파는 무기가 줄어들 것이다. 그리고 두 배로 커진 우리나라의 힘은 일본을 훨씬 넘어설 것이다. 우리나라가 그렇게 되기를 바라지 않는 것은 친일파뿐이다.
'지난 열 해 동안 그 글이 그들의 속을 후볐다면?'

아아.
하지만, 그에게 좋은 일도 생겼다.
열 해나 젊어진 그가 다시 여러 배움터에서 글을 가르칠 수 있게 된 것이다. 그것 말고도 왠지 힘도 더 좋아진 것 같아서, 무엇보다 그의 아내가 반겼다.
아아.
다만 그만 2030년에 일흔 살인 홍동길이, 예순 살로 살의 홍길동으로 살아가야 하니 아직 못 받아들이는 것이다. 아니, 그가 받아들여야 할 까닭이 있을까!
뭔가 잘못되어도 아주 잘못된 것이다.
그는 젊었을 때부터 잘못된 것을 통신망에 글로 써서 많이 바로잡은 사람이었다. 예를 들어 그가, 가난해서 돈을 못 낸 어린이 집에 수돗물을 끊지 말라고 해서 그렇게 된 일이라든가, 전기가 끊긴 집에서 촛불을 켜놓고 자다 숨진 아이들이 불쌍해, 떨어지는 촉루는 백성의 눈물이다, 라고 써서 전기를 못 끊게 한 일이며, 요즘에는 사람을 위해서 서울과 평양, 파주와 개성을 열자, 라고 써서 끊어진 나라와 사람을 하나로 이으려는 글을 쓰고 있다는 것이다.
아아.
그는 이제 동사무소에도, 대법원에도 가고 싶지 않았다.
그냥 며칠 그는 쉬었다.
'그래, 그러면 예순 살의 홍길동이 되어 다시 글을 쓰자.'
그러면 언제가 일흔 살의 홍동길이 살아서 돌아올지도 모르는 일이었다.
아아.
이튿날부터 이제 예순 살이 된 홍길동은 부지런히 옛날처럼 글을 썼다.
그들이 글재주마저 빼앗아 갈 수는 없었으므로, 그는 늘 쓰던 대로 통신망에 벼슬아치의 못마땅한 짓도 쓰고, 이런저런 이야기도 지었다.
그는 본디 젊어 보여서 밖에 나가면 다 예순 살로 보았기에 그다지 얼굴이 달라질 것도 없었으며, 이름도 홍동길이나 홍길동이나 다른 이의 귀에는 그게 그거로 들리는 것 같았다.
또, 그는 새로 배움터에 나가 글도 가르치며 돈도 조금씩 더 벌게 되었고, 이야기책도 여느 해처럼 한 해에 한 권씩 낼 것 같았다. 본디 얼굴이 안 알려진 터라 배움터에 나가도 그를 알아보는 사람은 없었으며, 거기 전산 기록에도 그는 예순 살의 홍길동으로 새로 쓰여 있었고, 또, 그를 눈여겨보는 사람도 없었다.
그러다가 어느 날, 그는 새로 나간 배움터에서 그가 진짜 예순 살 때 글을 함께 가르쳤던 마흔 살 때의 젊은이를 만났는데,
"아니, 이미 그만두신 걸로 아는데, 어떻게 다시 나오시게 되었습니까?"
하고 물었다.
그는 지은 죄도 없는데 속으로 뜨끔했다.
"아, 네, 그냥."
하고 그는 얼버무렸지만 그게 언제까지 갈지는 알 수 없었다.
"올해 나이가 일흔 아닙니까?"
이제 쉰 살은 되었을 그 젊은이가 다시 물었다.
"아, 초빙 교수는 일흔 살까지도 가르칠 수 있으니까요."
하고 그는 말했지만, 식은땀이 날 것 같았다.
그런데 그 배움터에서 그의 대학교 성적 증명서를 새로 떼어 오라고 했다. 아마 그가 집에서 복사한 것을 내서 그런 것 같았는데, 아, 그러고 보니 그가 나온 대학에서 언젠가,
"선생님처럼 1980년 앞에 다니신 분은 전산화되지 않은 손으로 쓴 성적 증명서만 나갑니다."
하고 말하던 생각이 났다.
그는 집에 복사해둔 성적 증명서를 꺼내 보았다.

그의 성적 증명서에는 그가 1980년 스무 살 때 그 대학에 다니고 있었다는 것을 말해주고 있었다. 그러면 그는 1960년에 태어난 사람임에 틀림없지 않은가! 어떻게 1970년에 태어난 열 살짜리가 대학에 다닐 수 있겠는가! 그는 바로 이거다, 싶었다. 그는 그 자리에서 그걸 인쇄기로 몇 장이나 더 박아냈다. 그리고 그는 이제 다시 일흔 살의 홍동길로 살 수 있겠구나, 싶어서 마음이 들떴다.

그리고 그가 맨 먼저 찾은 곳은 또 동사무소였다.

"이것 보세요, 제가 1960년에 태어났으니까, 1980년에 이 대학에 다니고 있죠."

하고 그가 말했다.

그런데 동사무소 사람이 그가 내민 종이를 보더니,

"이걸 믿을 수 있겠습니까, 전산화된 주민 등본을 믿을 수 있겠습니까?"

하고 되묻는 게 아닌가!

아아.

이제 마지막 남은 길은, 그와 함께 대학을 다닌 벗을 찾는 일이었다.

그런데 그는 웬만하면 사람과 잘 만나지 않았기에, 지난 서른 해 동안 그러니까 2000년부터 2030년까지 한 번도 벗을 만난 적이 없었다. 어쩌다가 배움터에서 마주쳤다고 해도 그들은 다 그보다 나이가 많거나 적은 겨우 얼굴만 아는 사람뿐이었다. 그렇다고 그가 통신망에 사람 찾는 글을 쓸 사람은 아니었다.

아아.

1980년 그는 스물 살로 대학 2학년이었다.

그렇지만 그가 그때 열 살이 되어버린 것이다.

아아.

이미 전산화된 그의 초중고의 기록은 다 그가 1970년에 태어난 것으로 바뀌어 있었다.

누가 왜 그가 태어난 해와 이름을 바꾸어버렸을까?
그렇게 할 수 있는 곳이란 엄청난 힘과 돈을 가진 곳밖에는 없을 것이다. 북한이나 해커가 아무리 할 일이 없어도 그에게 그런 짓을 할까? 그는 북한 수용소나 교화소에 갇힌 사람이나 그들이 들고 일어나 남북이 하나가 되는 이야기도 꽤 썼지만, 그렇다고 그들이 그가 태어난 해나 이름을 바꾸었을까? 또, 해커 한둘이 엄청난 돈을 받고 몇 해나 몇 달 동안 그의 기록을 다 바꾸었다? 그렇다면 어디에서 돈을 받았겠는가?
아아.
하는 수 없이, 이제 그는 좋은 쪽으로 생각하기로 했다.
1970년에 태어나 2030년 예순 살이 된 홍길동으로 말이다.
아아.
'그런 놈들이 있어서 내가 있는 것이다. 메가 있으면 골이 있고, 빛이 있으면 어둠이 있듯이 말이다.'
그래서 그때부터 그는 오히려 그런 것들을 고맙게 생각하며 여태껏 걸어가던 길을 그대로 나아가기로 했다.
그런데 한 가지 안 좋은 것은 그보다 다섯 살이 적던 그의 아내가 그보다 다섯 살이 많아졌다는 것이었다.
그러니까 그의 아내는 본디대로 예순다섯 살이었고, 그는 예순 살이 되었으니까. 그래서 신이 난 것은 그의 아내였고, 그는 무덤덤했다.
그러나 그는 예순 살이었으므로 여러 배움터에 나가 글도 더 부지런하게 가르칠 수 있게 되었고, 돈도 2020년보다 잘 벌었다. 그게 다 못된 녀석들 덕분이었다. 그들도 정말 그게 제 길이라고 생각하고 있을까, 저 할 일이라고는 생각하고 있겠지만 말이다.
그런데 그렇게 가서 그들이 예순이 되고, 일흔이 되면 보람찰까?
여느 사람은 선업을 쌓는데, 그렇게 악업을 쌓고 있으면 불쌍하지 않은가? 그들은 그게 악업이라고 깨닫는 순간 사람이 달라질 테지만, 그냥 그렇게 살겠다면 살아야지 어쩌겠나? 하지만 그런 못된 놈이 있어서, 그와 같은 어진 사람이 있다는 건 알아야지. 하기야 그런 것마저도 모를 테니 참 불쌍하다.

이제 2030년 예순 살의 그가 젊게 살아서 그런지 얼굴도 더 젊어 보였고, 힘찼다. 그리고 그의 아내도 덩달아 젊어져서, 때로는 본디대로 그보다 다섯 살 적게 보이기도 했다.

그의 아들딸도 나름대로 산다고 바빠서, 차츰 그들의 아비 일은 다 잊었다.

그는 때로 어떻게 그가 태어난 해와 이름이 송두리째 바뀔 수가 있었는지, 생각에 빠지기도 했지만, 글을 쓰고 가르치는데 바빴고, 건너 갈 배도 없는데 강 건너 일을 걱정할 건 없다고 헤아리고 말았다.

그런데 2030년 가을, 나라의 우두머리가 다른 사람으로 뽑히면서, 그들이 한 짓이 낱낱이 드러났다.

바로 미국과 일본이 우리나라 정보부와 손잡고 그런 일을 벌인 것이다.

어떤 일이냐고?

한 사람이 언제 태어나고, 그의 이름이 무엇인지 따위는 우습게 여기고, 아예 다른 사람으로 바꾸어버리는 것이다. 왜? 그런 게 그들이 힘과 돈을 쥐는 단 하나의 길이라고 생각하니까. 누구를 위해서? 그게 정말 그들 나라 사람을 위한 일일까? 그게 아니라, 저들 스스로를 위해서겠지.

아아.

참 슬픈 일이지만, 2030년에는 그런 일이 일어났다.

그해 겨울이 깊어갈 무렵, 나라에서 한 벼슬아치가 그를 찾아왔다.

"몇 달 안으로 선생님의 모든 기록을 본디대로 해놓겠습니다. 정말 몸 둘 바 없습니다."

그 벼슬아치가 그에게 깊이 고개를 숙였다.

하지만 그는 고개를 갸우뚱했다.
'이걸 어쩌지?'
"그냥 놔두면 안 되나요?"
그가 말했다.
"예?"
벼슬아치는 깜짝 놀라서, 그야말로 몸 둘 바를 몰랐다.
"아니, 나라에서 제멋대로 바꾸었으니, 내 뜻은 이제 바꾸지 말고 제발 그대로 놔두라는 것입니다. 요즘 내가 한창 잘나가고 있으니까요."
홍길동이 싱긋이 웃었다.

- 끝 - 2023/8/18

노자와 부처와 소크라테스와 나

직박구리가 울어대던 매미 한 마리를 잡아먹었다.
그 매미는 짝을 지었을까, 못 지었을까?
암놈일까, 수놈이었을까?
매미는 일곱 해를 땅속에 있다가 이레를 산다고 한다.
그리고 여름도 막바지에 이르면서 시끄럽게 울어대던 매미 소리도 조금 잦아들었다.
내가 그들과 만난 것은 2500해 앞이었다.
그들이라면 먼저 중국의 노자, 인도의 부처, 그리스의 소크라테스였다. 그들 가운데 나이가 가장 적은 것은 25살인 나였고, 그다음이 소크라테스 30살, 부처 35살, 노자는 70살이었다.
내가 가장 만만한 것은 소크라테스였다.
나는 그를 소 형이라고 불렀다.
"건방지기는."
소크라테스가 말했다.
"자넨 어느 나라라고 했지?"
"고조선입니다."
"고조선? 처음 듣는 나라인데?"
"이미 2000년 해 앞에 단군이 세운 나라입니다."

"그럼 그리스보다 오래 되었군."
"네. 이집트만큼 됩니다."
"와. 대단하군."
소크라테스는 사람이 솔직했다.
"그런데 우리가 모여 있는 나라가 어디입니까?"
"서양과 동양의 한가운데 튀르키예지."
"아, 예."
바로 옆 나라 그리스에서 온 소크라테스는 뭐든 잘 알았다.
부처는 거기서도 눈을 반쯤 감고 올리브나무 아래 앉아 있었다.
노자는 그런 부처가 한심한지,
"자네는 언제까지 그렇게 앉아 있을 거야?"
하고 물었다.
그때 부처가 한 쪽 눈을 뜨고 말했다.
"집을 나온 지 이제 여섯 해가 다 되었네요."
"그래, 잘사는 집에서 살지 왜 나와."
노자가 한심하다는 듯 말했다.
"자네 나이가 올해 몇 살이지?"
"서른다섯 살입니다."
부처는 그해 이미 인도에서 삶을 깨달은 사람이었다.
"노자께서는 몇 살입니까?"
"나? 나는 일흔 살."
"와, 오래도 사셨군요."
부처의 말에 노자가 얼굴을 찡그렸다.
노자는 억지로 애를 써서 덧없는 짓은 하지 말고, 모든 것을 살리며 아래로만 흐르는 물처럼 살라는 사람이었다. 어쩌면 그건 부처의 생각과도 비슷했지만, 부처는 모든 것을 내려놓고는 스스로를 등불로 삼아 어두운 길을 헤쳐 나갔다.
소크라테스는 요즘 그리스의 젊은이가 버릇이 없다고 말했다.

그래서 잠깐이나마 머리를 식히려고, 깨달은 사람이 한 데 모인다는 튀르키예로 배를 타고 왔다고 했다.
“배로 얼마나 걸리나요, 그리스는 바로 옆 나라라던데?”
내가 물었다.
“바람만 잘 타면 한나절이면 된다네.”
“그리스가 마음에 들지 않나요?”
내가 물었다.
“그래도, 어쩌겠나, 나는 곧 그리스로 돌아갈 걸세.”
나는 소크라테스도 물처럼 사는 게 아닌가 싶었다.
그래서 소크라테스는 마지막에 사약마저 받아 들인지도 모른다.
그리스에서는 소크라테스가 나라를 어지럽히고 다닌다며, 잡아들이려고 하고 있을 때였다.
“자네는 고조선에서 여기까지 어떻게 왔지?”
소크라테스가 나에게 물었다.
“예, 장사치가 몰래 다니는 길이 있습니다. 그게 나중에는 비단길이 됩니다만.”
“비단? 비단이 뭐지?”
소크라테스는 양 가죽 옷을 입고 있었다.
내가 누에고치에서 뽑은 가늘고 고운 실로 비단을 짠다는 말을 해도, 그는 알아듣지를 못했다.
부처는 더운 튀르키예에서 보리수나무를 찾지 못해 올리브나무 아래에서 늘 눈을 반쯤 감고는 책상다리를 하고 앉아 있었다.
노자는 그때 이미 중국에서 가지고 온 대나무에 도덕경을 쓰고 있었다.
나는 그들이 왜 여기에 갑자기 모였는지 처음에는 몰랐지만, 나중에 그들도 길을 찾기 위해 서로 만났다는 것을 알게 되었다.
아아.
노자와 부처는 잘 맞았지만, 소크라테스와는 잘 맞지 않았는데 그

나마 젊은 내가 그와 말벗이라도 되어주었다.
어느 날, 내가 부처에게 물어보았다.
“앞으로 2500해가 지나면, 모든 사람이 다 즐겁게 잘 살 수 있을까요?”
“아니야, 그렇지는 않을 거야. 빛이 있으면 어둠이 있고, 어둠이 있으면 빛이 있듯이 말이다.”
부처는 알 듯 모를 듯한 말만 골라서 했다.
그래서 내가 다짜고짜로 물었다.
“어둠도 빛도 없으면 어떻게 됩니까?”
“사람도 없겠지.”
그는 참 간단하게도 말했다.
아아.
그때도 술이 있어서 나와 노자는 가끔 마셨지만, 부처와 소크라테스는 마시지 않았다. 하지만 노자는,
“나이가 너무 적은 사람과 마시는 건 좋지 않으니, 너는 얼른 마시고 가.”
하고 말해서 나는 떨떠름했지만 어쩔 수 없었다.
나는 그들이 이미 길을 찾은 사람이라고 생각했는데, 그렇지도 않는 모양이었다. 내가 보기에 그들은 끊임없이 길을 찾는 사람이었다.
아아.
노자는 술에 취하기만 하면,
“덧없는 짓은 하지 말라(무위자연), 물처럼 살아라(상선약수).”
하고 중얼거렸다.
“술 마시는 것도 덧없는 짓 아닙니까?”
나는 몰라서 물었다.
“그러면 네가 물 마시는 것도 덧없는 짓이냐?”
하고 노자가 되물었는데, 나는 할 말이 없었다.
나는 목이 마르니까 물을 마시는 것인데, 노자는 목이 마르면 물이

나 술이나 다 잘 마셨다. 그래서 그런지 나도 어느 틈에 그를 닮아갔다.
“어떤 게 덧없는 짓입니까?”
‘오로지 돈과 힘만 끌어 모으는 짓이지.“
“그러면?”
“사람을 위해서 살아야지. 돈과 힘이 있으면 더 사람을 위해서 살아야지.”
노자는 그렇게 말하며 술을 또 한 잔 마셨는데, 고조선에는 없는 포도주였다.
내가 입맛을 다시자, 노자는 나에게도 술을 따라주었다.
“부처나 소크라테스는 술도 안 마시고, 무슨 재미로 살지?”
“글쎄요, 결코 잘난 체하지 않는 분들이라.”
“개뿔.”
“네?”
나는 처음에는 잘못 들었나 싶었다.
노자는 부처나 소크라테스가 삶을 깨닫기에는 아직 젊다고 생각하는 것이었다.
하기야 노자는 70살이고, 부처는 이제 겨우 깨달은 35살이고, 소크라테스는 30살이니 그럴 만도 했다.
“부처와 소크라테스 가운데 누가 더 깨달은 사람입니까?”
“부처.”
노자는 한 번에 그렇게 말했다.
나와 소크라테스는 어떤가 한번 물어보고 싶었으나, 건방지다고 할까봐 참았다.
아아.
“그러면 노자께 누가 많이 대듭니까?”
“소크라테스. 그리스에서 와서 그런지 나와는 참 안 맞아. 뭐든 따지려드니, 쯧쯧.”

노자가 혀를 차며 말했다.
"그냥 사람을 위해서 살면 되지, 무얼 그리 따져서 밝히겠다고, 짜증이 다 난다니까."
"아, 그럴 수도 있겠군요."
나도 소크라테스가 하나하나 가르는데 지치곤 했다.
"그러면 노자께서는 부처와 맞겠군요."
"음. 부처는 나보다 생각이 깊어. 그리고 너그럽고."
"힘든 사람을 가엾게 여긴다는 말씀이군요."
"잘 아네?"
노자가 나를 빤히 바라보았다.
그래서 그런지 부처에게는 아미타불, 미륵불, 관세음보살, 약사여래 같은 사람이 따른다고 했다.
나도 왠지 까다로운 소크라테스보다 노자나 부처에게 더 배울 게 많았다.
그래서 그런지 며칠 뒤, 소크라테스는 혼자 그리스로 돌아갔다.
"이제 우리 셋만 남았군, 참 자네는 나와 함께 배를 타고 돌아가면 되겠군. 나 먼저 중국에 내리고 자네는 서해를 건너면 되잖아?"
"네, 고맙습니다. 그러면 부처도 인도 앞바다로 함께 빠져나가면 되잖습니까?"
"아, 그렇군! 이거, 내가 늙어서."
노자는 고개를 끄덕였다.
"우리는 언제쯤 헤어지게 되나요?"
"때가 되면."
노자는 늘 그런 투로 말했다.
그는 뭐든 인위적으로 하지 않고 무위자연에 맡겨두었다.
며칠 뒤, 나는 집집이 밥을 얻으러 다니는 부처를 따라나섰다.
"이렇게 밥을 얻으러 다니는 게 부끄럽지 않습니까?"
내가 물었다.

“자네는 배가 고프지 않나? 그들은 내가 오기를 기다리며 기꺼이 밥을 내어준다네.”

나는 아무 소리하지 않고 손에 질그릇을 들고 그의 뒤를 따랐다.

그런데 집집마다 이미 사람이 나와서 부처를 기다리고 있는 게 아닌가?

아아, 나는 그 모습에 놀랐다.

그들은 부처에게 깊이 고개를 숙였고, 기꺼이 빵과 밥을 주었다.

아아.

부처는 그럴 때마다 두 손을 모으고 절을 했다.

아아.

우리는 돌아와 질그릇에 가득한 먹을거리를 노자와 함께 또 나누어 먹었다.

“배가 고프니 맛있군.”

노자는 그게 고맙다는 말이었다.

“우리는 언제쯤 돌아가게 되나요?”

“자네는 늘 그게 걱정이군.”

부처가 말했다.

“그러게 말이야, 때가 되면 가게 된다고 해도 걱정부터 한다니까.”

노자의 말에 부처가 웃었다.

하하하.

나는 부처가 그렇게 웃는 모습은 처음 보았다.

“바그다드까지는 걸어가서 거기서 아라비아 바다로 나가는 배를 타면 곧장 인도, 중국을 돌아 고조선으로 갈 걸세.”

부처는 많이 걸어 다녀서 그런지 길도 잘 알았다.

“나도 자네만 믿고 따라가겠네.”

노자가 말했다.

“도덕경은 다 썼습니까?”

부처가 물었다.

“아니, 중국에 돌아가거든 천천히 쓰면 되지.”
노자 옆에는 글을 쓰는 대나무 조각이 있었다.
찬바람이 불고, 이제 우리는 튀르키예를 떠날 때가 된 것 같았다.
날이 덥지 않아서 바그다드까지는 걸어갈 만했다.
으리으리한 돌기둥으로 세운 집들을 바라보며, 나는 아무리 보아도 이쪽이 고조선보다는 앞서 있는 것 같았다. 그리고 고조선에서 나는 청동으로 만든 칼만 보았지만, 그들은 이미 쇠로 만든 칼을 차고 다녔다.
아아.
“쳐들어가 서로 빼앗지만 않는다면, 모두 잘살게 될 거야.”
노자가 그들을 바라보며 말했다.
“그리고 괴로움에서 벗어나기를 바랍니다.”
부처가 말을 덧붙였다.
“어떻게?”
노자가 바로 물었다.
“숲속을 거니는 코끼리처럼, 진흙 속에 피는 연꽃처럼, 그물에도 걸리지 않는 바람처럼, 무소의 뿔처럼 홀로 가야지요.”
“음.”
노자가 고개를 끄덕였다.
나는 그때 그런 말을 처음 부처에게 들었다.
아아.
한 달 만에 부처는 스리랑카 앞쪽 인도 땅에 내렸다.
이제 배 안에는 나와 노자, 그리고 몇몇 장사치뿐이었다. 그들은 유리와 금을 팔고, 인도와 중국에서 차와 비단을 사갔다.
그리고 또 한 달 뒤, 노자와 나는 드디어 중국 땅에 발을 디뎠다.
거기서 노자가 살던 초나라까지는 아주 멀리 더 걸어가야 했고, 중국은 온통 서로 싸우는 춘추 전국 시대여서 나는 어떻게든 살아남아 고조선으로 가야만 했다.

누런 강물이 흐르는 중국 어디서쯤 나는 노자와도 헤어졌다.

처음에 소크라테스가 그리스로 돌아갈 때만 해도 몰랐지만, 부처가 떠나고 노자와도 헤어지면서 나는 몹시 허전했다.

아아.

그러나 부처가 말하지 않았는가!

무소의 뿔처럼 홀로 가라고.

거기서 고조선까지는 3000리라고 했다.

아아.

눈발이 흩날리고 있었다.

- 끝 - 2023/8/22

일본 방사능

이기적이고도 이기적인, 치졸한 일본의 30년 방사능 오염수 방류가 인류를 멸종시킬 수도 있다.

우리 바다 연구원인 그가 통신망에 그렇게 썼는데, 많은 사람이 읽었다.

그는 그걸 영어로도 옮겨놓았는데, 야릇하게도 다른 나라 사람이 더 많이 읽었다.

아아, 어쩌자고 왜놈은 그런 짓을 한다는 말인가!

왜는 날마다 지진이 일어나고, 싹쓸바람이 부는 땅이다. 그래서 왜놈은 옛날부터 못되어서, 믿을 수가 없다고 했다.

그런데 정말 그의 말대로 된다면?

아아.

일본 앞바다에서 가장 먼저 사라진 것은 산호와 멍게였다.

2023년 8월 24일 1시, 일본 후쿠시마 앞바다에 방사능 오염수를 쏟아낸 지 여섯 달 만의 일이었다.

그리고 일본 바닷가에서는 이미 조개도 서서히 사라지고 있었다.

그들의 말대로 바닷물은 북해도와 러시아 캄차카를 지나 알래스카,

캐나다로 가고 있었지만, 그해 가을에 분 싹쓸바람이 방사능 오염수를 일본의 앞바다로 되돌려 보내고 말았던 것이다.
그렇게 물고기를 날로 먹던 일본에서 이제 초밥은 사라졌다. 그들은 미국과 남미에서 잡아온 물고기를 굽거나 끓여서 먹을 수밖에 없었다.
2024년 가을, 이제는 캐나다 앞바다에서도 일본과 비슷한 일이 일어나고 있었다, 산호와 조개가 가장 먼저 사라지고 있었던 것이다.
'그다음은 미국일 것이다.'
우리 바다 연구원 홍동일이 한숨을 내쉬었다.
그동안 삼중수소를 가장 많이 바다로 흘려보냈던 캐나다와 미국이 일본에서 흘려보낸 방사능 오염수를 옳으로 받고 있었다. 그다음으로 삼중수소를 많이 바다로 내보내고 있었던 중국이(그건 우리나라 서해로 흘러든다) 일본의 모든 수산물 수입을 금지시켰지만, 우리나라는 오히려 괜찮다는 답답한 말만 되풀이하고 있었다, 떳떳하게 중국과 일본에게 말 한 마디 못하는 것이다.
후.
홍동일이 다시 한숨을 내쉬었다.
아아.
어쩌자고 우리나라가 이렇게 되었을까?
중국이 조금 앞섰지만, 우리나라와 일본은 세계 5, 6위로 군사력이 비슷하다.
그런데도 어떻게 말조차 하지 않았을까? 본디 싸우기를 좋아하는 것은 일본과 미국이지만, 우리도 할 말은 해야 하지 않을까? 무엇이 겁나서 못한다는 말인가!
미국은 왜 일본이 방사능 오염수를 바다에 내다버리는데도, 곧 그들 나라로 흘러들 텐데도, 국제 원자력 기구의 말을 믿는다며 오히려 왜의 손을 들어주었을까? 몇 해 앞만 하더라도 바로 그 기구의 우두머리가 왜놈이었다.

바다를 차지하는 나라가 온 나라를 차지한다고?
그래서 미국이 일본과 한 패가 되어 중국을 막아야겠다고? 거기에 우리나라도 끼워주고?
하하하.
홍동일이 웃었다.
방사능에 오염된 바다를 차지해서 무얼 하려고?
사람이 다 죽게 생겼는데?
하하하.
홍동일은 헛웃음만 나왔다.
그래도 돈만 벌면 되는 게 미국이다.
그래도 우리는 선비의 나라가 아니었던가?
돈은 그다음이지.
이제 우리나라에서도 미국 알래스카에서 잡힌 연어와 캐나다에서 들어오는 물고기와 조개 따위는 사먹지 않았다. 일본은 수산업이 망하면서 나라가 휘청거렸고, 유럽에서도 언제 방사능 오염수가 흘러들지 컴퓨터만 쳐다보고만 있었다.
아아.
이게 다 지난해 2023년 8월 24일 일본의 방사능 오염수를 막지 못해서 생긴 일이었다.
아아.
미국, 캐나다, 중국, 러시아는 왜 일본을 미리 막지 않았을까?
그들이 바로 삼중수소를 가장 많이 바다로 버리는 나라이기 때문이다.
아아.
그러면 우리나라는 왜 일본의 그런 짓을 미리 막지 않았을까?
오로지 미국, 일본과 힘을 모아야 북한, 중국, 러시아를 물리칠 수 있다고 생각하기 때문이다.
그러나 홍동일은 달랐다.

남북한이 힘을 모으면 되지 않는가?
남북한이 하나가 되면 된다.
북한이 엉뚱한 짓만 한다고?
그래도 참고 달래야지, 같은 나라 사람인데.
북한이 지난 여든 해 동안 달라진 게 없다고?
그러면 스무 해는 더 해보아야지.
'이제 한두 해만 더 지나면 일본이 내다버린 방사능 오염수가 미국을 돌아 멕시코 칠레 쪽에서 태평양을 건너 필리핀을 지나 우리나라로 올 것이다.'
이미 우리나라 바다 속에도 산호와 미역, 다시마, 조개가 사라졌지만, 이제는 작은 물고기마저 눈에 뜨이게 줄어들고 있다는 것을 홍동일은 알고 있었다.
하지만 그가 아무리 말을 해보았자 쇠귀에 경 읽기였다. 그리고 연구소에서는 어떻게든 그를 내보려고 하고 있었다.
아아.
쉰 살의 홍동일이 거기에서 나가면 어디로 갈 수 있을까?
그도 이제 무언가를 해야만 했다.
무엇을!
'이제라도 일본이 더는 방사능 오염수를 바다에 버리게 해서는 안 된다.'
그렇다면 일본과 가장 가까이 있는 우리나라와 타이완, 중국, 러시아, 그다음 캐나다와 미국, 멕시코, 칠레. 필리핀이 나서서 무언가를 해야만 했다.
홍동일은 먼저 그들 나라의 바다를 연구하는 사람에게 전자우편을 보냈다.

일본은 방사능 오염수 방류는 인류를 멸종시킬 수 있습니다.
그들이 얼마나 많은 핵 물질을 검사하는지, 제대로 하는지도 알 수 없습니다. 우리가 서로의 바다에서 지난 한 해 동안 늘어난 방사능 물질을 검사해서 낱낱이 밝힙시다.

홍동일은 그렇게 몇 십 통의 전자우편을 여러 나라에 보냈다.
그런데 뜻밖에도 며칠 만에 거의 그들 모두로부터 비슷한 전자우편이 왔다.

네, 알겠습니다.
우리 함께 힘을 모아 일본이 더는 방사능 오염수를 바다에 쏟아내지 못하도록 합시다.

홍동일은 너무나도 기뻤다.
그들 모두 그들의 바다와 사람을 걱정하고 있었던 것이다.
아아.
그는 가슴이 벅찼다.
그리고 우리나라 동해, 남해, 서해에 있는 모든 연구소에도 같은 전자우편을 보내 몇몇 군데에서는 분석한 자료를 날마다 받을 수 있게 되었다.
그런데 뜻밖에 노르웨이의 한 연구소에서 그에게 전자우편이 왔다.

노르웨이의 연어에서 세슘과 삼중수소가 나왔습니다.

홍동일은 그것을 연구소장에게 이야기했지만, 입을 닫아라, 는 소리만 듣고 말았다. 이제 가만히 입을 닫고만 있을 그가 아니었다. 이미 모든 바다가 방사능에 오염된 것이다. 그는 그 전자우편을 그대로 박아 우리나라의 언론사에 보냈다.
이튿날, 몇몇 신문사에서 홍동일을 찾아왔다.
“그게 정말입니까?”

"네."
홍동일은 노르웨이에서 온 전자우편을 그들에게 보여주었다.
"이것을 믿을 수 있습니까?"
"네, 내가 노르웨이 수산청에서 그 연구소를 찾아내 몇 번이나 그곳에 전자우편을 보내보기도 했습니다."
며칠 뒤,

노르웨이 연어에 세슘과 삼중수소.

라는 이름으로 몇몇 우리나라 신문에 글이 실렸다.
그리고 얼마 지나지 않아 캐나다 연어에서도 세슘과 삼중수소가 나왔고, 미국과 멕시코, 페루, 칠레에서 잡은 물고기에도 방사능 물질이 늘어났다는 글이 신문에 줄을 이었다.
이제 우리나라도 발칵 뒤집혔다.
동해와 남해, 서해에서 잡힌 물고기에도 언제 방사능이 섞여 나올지 몰랐기 때문이었다.
"자네 그만두어야겠어."
우리 바다 연구소장이 홍동일에게 말했다.
"나한테 보고도 없이 그런 짓을 하다니 말이야."
"보고하면, 소장님 집에 그 연어가 오를까요? 잘 드시잖아요, 연어."
홍동일은 그날로 거기를 나왔다.
그렇지만 그에게 전자우편은 끊이지 않고 왔다.
그 가운데는 이런 글도 있었다.

일본의 모든 수산물을 먹지도 사지도 맙시다.
그래도 일본이 방사능 오염수를 내보낸다면, 그다음은 일본의 모든 물건을 사지 않는 것이고, 그래도 안 될 때는 외교를 끊는 것입니다.

그는 그것을 다시 노르웨이, 핀란드, 스웨덴, 캐나다, 미국, 멕시코, 페루, 칠레에 전자우편으로 보냈다.

그런데 우리나라에서는 야릇하게 물고기에서 나오는 방사능이 늘 기준치를 밑돌았다. 본디 방사능 측정기가 잘못된 것이 많아서 홍동일은 그것을 믿을 수가 없었고, 또 나라에서 모든 연구소를 틀어막고 쉬쉬하고 있는 것이 틀림없었다.   우리 바다 연구소장도,

"수산부에서 날마다 전화가 와, 입단속 하라고."

하고 말하지 않았던가!

이제 홍동일은 남아도는 시간에 속초와 거제도, 강화도를 찾아 몸소 물고기의 방사능 수치를 재기로 했다.

2024년 겨울, 한 달 동안 홍동일이 잰 물고기 방사능 수치는 일본과 가까운 거제도에서 가장 높았다. 그건 사람이 먹을 수 없을 만큼 많은 방사능 양이었다.

아아.

그만 그것을 알고 있을 리도 없을 텐데, 여느 신문과 방송에 나오는 방사능 수치와는 너무나 달랐다. 속초와 강화도에서 잡은 물고기도 방사능 기준치에 가까웠다.

아아.

'이런 물고기를 우리나라 사람이 먹고 있다는 말인가!'

홍동일은 물고기의 방사능 수치와 잡은 곳, 날짜가 적힌 자료를 몇몇 언론사에 보냈다.

우리나라 남해에서 잡힌 물고기 방사능 오염!

이튿날, 신문과 방송에 그런 글이 떴다.

나라가 발칵 뒤집혔다.

그리고 그때서야 나라에서도 일본의 모든 수산물을 사들이지 않겠

다고 했지만, 이미 때는 늦었다. 일본에서 흘려보낸 방사능 오염수가 우리나라 남해를 뒤덮고 있는 것이다.
아아.
우리나라의 모든 사람이 들고일어나 일본에서 만든 것이라면 무엇이든 사지 않았다. 그리고 몇몇 벼슬아치가 물러났지만, 마침내 나라에서도 방사능 오염수를 줄곧 쏟아낸다면 모든 일본 제품을 수입하지 않겠다고 말했다.
그리고 우리나라에서 일어난 방사능 오염수 방류 반대의 불길은 거의 모든 나라로 퍼져나갔다.
2025년 봄, 일본은 마침내 두 손을 들고는 방사능 오염수를 더는 바다에 버리지 않겠다고 말했다.
'그러나 그들을 믿을 수 있을까?'
홍동일은 며칠에 한 번씩 속초와 거제도, 강화도에 갔다.
해가 바뀌면서, 그는 거제도에서 잡은 물고기에서 방사능 수치가 조금 내려간 것을 알 수 있었다. 하지만 아직은 사람이 먹을 수 없는 물고기였다. 이미 지난해부터 물고기와 조개를 파는 우리나라 저자는 모두 문을 닫았다. 사람들은 물고기 대신에 소, 돼지, 닭고기를 먹어서 끝도 없이 값이 올랐고, 덩달아 채소와 과일 값도 엄청나게 올랐다.
아아.
한 해만 더 빨리 일본이 멈추었더라도, 그런 일은 생기지 않았을 것이다.
아아.
처음부터 어떻게도 미국과 캐나다와 같은 큰 나라가 그렇게 못본척할 수 있었을까! 일본 바로 옆에 있는 우리나라도 마찬가지였다. 그래서 그린피스가 처음부터 가장 큰 피해를 입는 옆 나라에서 가만히 입을 다물고 있는 것은 범죄라고 말하지 않았던가!
아아.

2025년 여름, 일본은 하루 500톤씩 바다에 버리던 방사능 오염수를 그들의 땅에 묻을 수밖에 없었다. 그렇게 되면서 몇몇 나라가 다시 조금씩 일본에서 물건을 사들이고 있었다.

하지만 가장 크게 혼쭐이 난 우리나라는 일본이 방사능 오염수를 땅에 다 묻을 때까지는 그들의 물건을 사들이지 않았다. 이제 더는 일본에 속지 않겠다는 뜻이었다. 일본은 2011년 후쿠시마 원자력 발전소가 터졌을 때도 방사능이 그들의 하늘을 뒤덮어 어린이의 갑상선 암이 몇 배로 늘어났지만, 제대로 밝히지도 않았으니까! 그리고 일본 방사능은 아직도 하늘로 피어오르고 있다.

홍동일은 그가 할 일을 하고 있었다.

우리 바다 연구원이었던 그가 마침내 바다를 지킨 셈이었다.

모든 나라의 바다가 방사능에 오염이 되고 난 다음에야, 그의 말에 귀를 기울였지만 말이다.

- 끝 - 2023/8/27

인디언 나바호

나도 이젠 지쳤다.

더 힘이 빠지면 나는 일흔 살이 될 테고, 그다음은 여든 살, 그다음 아흔 살이 되면 잊힐까?

늙은 인디언처럼 사그라지는 불 앞에 마지막까지 앉아 있으라고, 늑대 무리가 다가오는데도?

아아.

모두 저만 살려고 나라가 엉망진창이다.

그러면 벼슬아치라도 사람을 위해서 살아야지.

그런데 벼슬아치마저 저만 잘살려고 하니 나라가 엉망진창이라는 말이다. 그 속에서 여느 사람이 즐겁게 잘 살기는 참 어렵다.

아아.

모두 끼리끼리 나누어 먹으며 저희만 잘산다.

나도 이젠 지쳤다.

그런 무리에 섞이지 않으니까, 나는 홀로 일하며 돈을 벌었다.

그들은 그들끼리만 어울리고 힘을 키우고 돈을 번다.

나는 어울리지 않고 무소의 뿔처럼 혼자 갔다.
홀로 숲속을 거니는 코끼리처럼 말이다.
그런데 이제 나도 지쳤다는 말이다.
그러면 그들도 지치지 않았을까?
그들은 지치지 않은 척하겠지.
그렇지 않다고?
어쨌든 나는 그들과는 다르다.
그렇지 않다고?
내가 그런지 그렇지 않은지, 이제부터 여러분이 헤아리기 비란다.
야릇하게 그들은 결코 홀로 움직이지 않는다.
그들은 여럿이 힘을 모아 똑같은 소리를 내지만, 나는 늘 혼자 다른 소리를 한다.
아아.
“나이가 몇이오?”
“예순 살입니다.”
“그러면 그렇게 늙지도 않았는데, 왜 처음부터 인디언과 늑대 이야기를 꺼내는 거오?”
그가 그렇게 물었을 때, 나는 비로소 할 말이 없었다.
그는 여든은 훨씬 넘어 보였다.
아아.
내가 지친 건 맞지만, 늙은 건 아니라는 것을 그가 일깨워준 셈이다.
아아.
그가 누구냐고?
그는 몇 달 앞부터 통신망에서 나와 글을 주고받던 한 인디언이었다, 이름은 나바호.
내가 늙은 인디언과 늑대 이야기를 들은 것도 그로부터였다.
아아.

인디언은 늙어서 죽음을 앞두면, 그 늙은이를 모닥불 앞에 놔두고 다른 사람은 떠난다. 그러면 어느새 모여든 늑대가 모닥불이 꺼질 때까지 기다렸다가 그 늙은이를 잡아먹는 것이다.

"늙은이는 나뭇가지라도 들고 늑대와 싸우지 않을까요?"

내가 물어보았다.

"그럴 테지. 하지만 힘이 다 빠진 늙은이가 굶주린 늑대 무리를 이길 수는 없어."

나바호는 그렇게 말했다.

"왜 그렇게 죽게 놔두는가요?"

"흙으로 돌아가는 게지."

나는 그 말에 사람이 죽으면 새가 뜯어먹게 놔두는 조장을 떠올렸다.

"그렇지만 그 늙은이는 아직 살아 있지 않은가요?"

"그들도 기꺼이 받아들이게 되지."

"정말 그럴까요?"

"우리가 끝까지 지켜보지는 않으니까."

아아.

그러나 이런 말도 있다.

강 건너 갈 배도 없는데 강 너머 일을 걱정할 건 없다.

나는 이제 예순 살이다.

나중에 일어날 일을 미리 걱정할 것은 없다. 또, 그런 일이 안 일어나고 끝까지 잘 살다가 갈 수도 있다.

아아.

지쳤던 나도 조금씩 더 쉬면서 나아지고 있었다.

'지치면, 쉬면 되는 것이다.'

안 쉬니까, 내가 더 지친 것이다.

나는 그걸 그 인디언에게 다 영어로 써서 통신망에 부쳤다.

오, 마이 갓, 뎃츠 심플.

나바호가 곧장 그렇게 나에게 적어서 보냈다.
나는 글을 쓰거나 가르치지 않을 때는 늘 눕다시피 이불에 기대어 있었다.
누구는 그런 나를 보면 몹시 게으르다고 하겠지만, 나는 오로지 저만 생각하는 이들보다는 부지런할 것이다. 왜? 사람을 생각하니까.
아아.
늙은이를 그렇게 죽게 하는 인디언도 사람을 먼저 생각하는 것일까?
늑대의 밥이 되어서 흙으로 돌아간다고?
아아.
그런 인디언을 못 살게 따돌린 건 뒤늦게 그 땅에 들어온 유럽 사람이다. 처음에 그들은 남미를 짓밟았고, 그다음에는 북미를 짓밟았다. 인디언이 먹을 것도 없는 그들에게 밥을 주고 겨울을 나도록 해주었지만 말이다.
아아.
그런데도, 뭐라고?
총, 균, 쇠?
쌀보다 손이 덜 가는 밀이 잘 자라 남는 시간에 총과 쇠를 만들고, 면역도 먼저 생겨서 잘살게 되었다? 그러면 그냥 잘살면 되지, 그들은 왜 남북미와 아시아, 아프리카를 짓밟았나?
아아.
나바호도 그것을 잘 알고 있었지만, 이제 되돌릴 힘을 잃었다고 말했다.
하지만, 다른 길도 있지 않을까?

본디 인디언의 나라에서 인디언이었던 그들을 더 잘 도와주는 길 말이다.
왜냐고?
1800년까지는 인디언의 나라였으니까.
그리고 그들은 인디언도 아니다, 인도 사람도 아닌데 어떻게 인디언이 되는가?
그들은 본디 아시아에 살던 사람이었고, 겨울에 북쪽 바다가 얼면 북미로 걸어가서 남미까지 내려가 살던 사람들이었다.
아아.
그러니까 콜럼버스는 죽을 때까지 거기가 인도인 줄 알았던 것인데, 그야 그렇다 치더라도, 왜 아직까지 그들은 인디언이라고 부르는 것일까?
제기랄.
그러면 우리도 그들을 양키라고 불러야겠네?
아아.
내가 지칠 만도 하겠다고?
헤아려주니 고맙군.
"우리 부족에서만 죽음을 앞둔 늙은이를 늑대에게 맡겨두었는지도 몰라."
나바호가 말했다.
"다른 데서는 땅에 묻거나, 태우거나, 바람에 맡겨두거나, 새가 먹도록 했다더군."
"그럴 겁니다."
나도 고개를 끄덕였다.
"끝까지 두렵지 않게 버틸 수 있었을까요?"
"글쎄."
그건 서로 모르는 게 나았다.
내가 나바호를 안 지는 몇 달이 되었다.

그래서 가끔 서로 얼굴을 보며 이야기를 나누기도 했고, 그밖에는 통신망에 글을 썼다.
그런데 어느 날, 나는 그가 100살이라는 말을 듣고 몹시 놀랐다.
“여든 살은 넘어 보인다고 생각했지만.”
“나도 이제 모닥불을 피워놓고 늑대를 기다릴지도 모르지.”
“뭐라고요?”
나는 처음에 그의 말을 잘못 들었나 싶었다.
“그런 건 사라졌다고 하지 않았나요?”
“내 마음 속에서도 사라진 건 아니지.”
“왜 그런 생각을 합니까?”
“자네도 100살이 되어보면 안다네.”
나는 아직 예순 살이었다.
아아.
내가 그럴까?
내가 100살이 되면, 늑대도 두렵지 않을까?
아아.
그는 물과 전기도 잘 들어오지 않는 미국 애리조나 인디언 보호 구역에 살고 있었다.
1866년 미국 남북 전쟁이 끝나고, 그들은 인디언을 죽이다 못해 더는 달아나지 못하도록 애리조나 보호 구역에 집어넣은 것이다.
아아.
‘차라리 모닥불을 피워놓고, 늑대에게 물려죽는 것이 늙은 인디언의 꿈이었을까?’
나는 그런 생각마저 들었다.
아아.
착한 사람이 있으니까 못된 놈이 있고, 못된 놈이 있으니까 착한 사람이 있는 것이다.
닭이 먼저일까, 달걀이 먼저일까?

맨 먼저 빛은 어둠에서 나왔을 것이고, 빛이 있으니까 어둠이 있을 테고. 그러니까 착한 사람이 있으니까 못된 놈이 있는 게 아닐까? 덜 떨어지고 모자란다고 느끼는 놈이 하나 둘씩 나오다가 무더기로 생겼다는 말이다.

아아.

몇 달 동안, 그로부터는 아무 말이 없었다.

그러다가 어느 날, 나는 통신망에서 뉴스를 보고 깜짝 놀랐다.

100해 만에 미국 인디언이 스스로 늑대에게 물려 숨지다.

그리고 그 인디언은 모닥불을 피워놓고 늑대 무리가 오기를 기다린 것 같다는 글도 함께 쓰여 있었다.

아아.

그리고 거기에 그의 이름도 나와 있었다.

애리조나 인디언 보호 구역에 사는 나바호. 나이 100살.

아아.

미국은 이미 하루에 100명이 총으로 죽이고 죽는 나라였다.

그래서 그들마저 미국을 버리고 한 해에 몇 천 명씩 포르투갈이나 스페인, 이탈리아, 그리스, 몰타 쪽으로 가서 살았다. 태어날 때부터 인디언인 나바호도 그런 미국을 똑똑히 보았을 것이다. 사람이 덜 된 놈이 돈뿐만이 아니라 총까지 가진다고 생각해보라, 나라가 어떻게 되겠는가!

아아.

그러니까 우리나라도 사람을 위해서 살지 않은 것들이 돈을 먼저 가진 셈이다. 그러니까 밖에만 나가면 개판인 꼴을 보게 되는 것이다.

아아.
거기에 총까지 가진다면, 우리나라는 미국 짝이 날 것이다.
나는 나바호를 그려보았다.

모닥불이 밤이 깊어지면서 서서히 꺼지고 있었을 게다.
나바호는 그 마지막 불빛을 바라보며, 늑대 울음소리를 듣고 있었을 게다.
그는 손에 든 마지막 땔나무를 불속에 집어넣었다.
그리고 마침내 모닥불이 꺼진 새벽, 나바호가 추위에 쓰러졌을 때 늑대 무리가 달려들었을 것이다.

아아.
그래서 그는 그렇지 않은 우리나라를 좋아했다.
내가 아무리 우리나라도 개판이라고 이야기해도, 그는 미국보다는 낫다고 말했다.
아아.
나는 그런 그가 고마웠다.
아아.
내 눈에서 눈물이 흘렀다.
아아.
내가 그 인디언의 죽음에 눈물을 흘려야 한다는 말인가?
왜?
무엇 때문에?
그는 미국 애리조나에 살던 100살의 인디언이었다.
이름은 나바호.
그런 그를 위해서, 아니 그의 이야기에 내가 눈물을 흘렸다?
아아.
정말이지 그의 이야기가 왜 고맙다는 말인가!

그래도 우리나라는 미국보다 나을 것이라는 그 말, 말이다.
아아.
그는 곧 잊힐 테지만, 그의 이야기는 남아 있을 것이다.
얼마나 오랫동안 남아 있을지, 그건 나도 모른다.
그의 이야기가 한 100해는 남아 있을까?
아니면, 100해 뒤에도 남아 있을까?
그건 나도 모른다.

- 끝 - 2023/9/3

갑판장 최 민식

가을이 왔다고 해서, 그에게 예순세 번째 가을이 그렇게 다른 것도 아니었다.
나뭇잎이 하나 둘씩 물들고 있었으며, 떨어지고 있었다.
하늘은 그런대로 맑았으며, 서울은 낮에는 25도였다.
이 영일은 오늘 아침 막 '젊은이와 벼슬아치'라는 단편소설을 끝냈는데, 낮에 다시 다른 이야기를 쓰고 있었다.
"엄청나군."
누군가는 그렇게 말하겠지만, 그는 벌써 지난 열 해를 그렇게 이야기를 썼다.
그가 뜸하게 이야기를 쓴 것은 서른 살, 마흔 살 때였고, 쉰 살이 되고부터는 그렇게 많이 글을 쓴 것이다. 그건 그의 삶이 무르익고 있다는 말이기도 했다. 그렇다고 그가 돈을 잘 버는 것은 아니었지만, 삶은 익어 가고 있었다.
아아.
그가 아무리 글을 써도 사람 사는 데는 그렇게 달라지지도 않았다.
못된 놈은 더 늘어나는 것 같았다.

아니, 그가 젊었을 때는 그런 연놈을 잘 못 알아봐서 그럴 것이다.
훌륭한 사람이 많으면 사람 사는 데는 참 즐거울 것이다. 훌륭하다는 것은 어딘지 낯설고, 흐름하고, 여위고, 메마른 데도 있기 때문이다. 그렇지 않다면 그건 결코 훌륭하지 않다고 그는 생각했다. 모든 것을 되살리고 채우면서도 스스로는 아래로만 흐르는 물처럼 말이다. 상선약수, 노자는 물처럼 사는 것을 최고의 선으로 여겼다.
아아.
그러면 못된 놈을 어떻게 잡을까?
한 마디로 볼 때마다 때려잡으면, 사라지게 되어 있다.
한 방 때리거나, 벌을 주어서 신상필벌하면 많이 줄어든다는 말이다.
그러나 저러나 가을은 깊어지고 있었다.
이 영일도 예순세 살이다.
그러나 가을이 깊어질 나이라고 하기에는 그의 얼굴에 그리움이 남아 있었다. 아니, 아직 그가 익살을 부린다고 봐야지.
가을이 깊어졌다고 나뭇잎이 다 떨어진 것도 아니고, 길바닥에 나뒹구는 것도 아니었다. 그가 쓸쓸히 그 길을 걸어서 오른다고 해도 하늘은 맑기만 했으며, 아직 꿈은 남아 있었다.
그 꿈이 무엇이냐고?
사람을 위해서 사는 것.
그 스스로를 위해서는 살지 않느냐고?
사람을 위해서 글을 쓰는 것이 그 스스로를 위해서 사는 것이다.
서울도 이제 아침엔 14도 낮에는 24도로 시원했지만, 그는 아직 반소매 옷과 반바지를 입고 있어서 춥기도 했다. 그건 그가 게을러서 옷을 갈아입기 싫어한다는 말이지만, 집 안 창문을 자주 연다는 말이기도 했다.
그날, 그는 괜히 집에 있기 뭐해서 그의 아내와 강화도에 갔는데, 거기에는 바다도 있고, 산도 있고, 또 무엇보다 하나로 이어져야 할

한겨레인 북한 땅이 빤히 보였다.
바다에 물결이 거세게 이는데도 이 영일은 한 나루터 끝까지 가보려 했는데 그때,
“그만 가!, 그만!”
하면서 그의 아내가 바람에 날리려는 모자를 잡고 외쳤다.
아아.
쇠로 만든 나루터도 물살에 휩쓸려 내려갈 듯했지만, 그는 끝까지 가보지 못하고 뒤돌아섰다.
그때 배 하나가 거센 물결을 뚫고 방파제를 벗어나가고 있었다. 뱃머리에는 대영호, 라는 글씨가 크게 쓰여 있었다.
“대단하군, 저 물살을 뚫고 나아가다니 말이야.”
그가 달래려고 일부러 딴소리를 해보았지만, 그의 아내는 들은 둥 마는 둥했다.
“이런 날에도 고기를 잡으러 나가다니.”
그는 한 번 더 뒤를 돌아 그 배를 쳐다보았다.
여느 배보다는 커서 힘도 좋을 것 같았지만, 물살은 더 거세게 방파제 안쪽으로 몰아치고 있었다.

그 배에는 선장 박 강길과 갑판장 최 민식, 그리고 베트남과 인도네시아 뱃사람이 둘씩 타고 있었다.
“배를 더 빨리 몰아야겠군.”
거친 물살을 이기기 위해 박 선장은 배의 속도를 올렸다.
배가 조금씩 빨라지면서 물결을 이겨내고 있었다.
박 선장 옆으로 교동도가 지나자 그는 배를 멈추었다.
바로 몇 킬로 앞이 북한이었다.
“그물을 내려라.”
새우를 잡는 촘촘한 그물이 배의 앞쪽에서 바다로 내려지고 있었다.

그 모든 일은 갑판장 최 민식이 알아서 베트남과 인도네시아 뱃사람 넷에게 시키고 있었다.
“물살이 세고 높으니 모두 정신 바짝 차려!”
최 민식이 말했다.
“예.”
두 베트남 뱃사람은 그 일을 한 지 몇 해가 되었지만, 인도네시아 사람은 처음 하는 일이라 몹시 서툴러서, 그들을 돕는 최 민식은 바람이 세차게 몰아치는데도 이마에 땀이 맺혔다.
‘물살이 너무 세.’
박 선장은 몸소 구명동의 다섯 벌을 챙겨서 아래로 내려가 모두에게 나누어주며 말했다.
“큰 너울이 밀려오면 내가 소리칠 테니 모두 배 난간을 꽉 잡아. 오늘은 그물을 한 번만 내리고 돌아간다.”
“예. 선장님.”
최 민식이 웃으며 말했다.
박 선장은 다시 조타실로 돌아왔지만, 오다가도 몇 번이나 휘청거리며 넘어질 뻔했다.
바다에 잿빛 노을이 지자 박 선장이 말했다.
“그물을 끌어올려라.”
갑판장 최 민식이 다른 나라 뱃사람들을 도와 그물을 힘차게 당겼다.
바로 그때였다.
큰 너울이 밀려오면서 박 선장이 외치는 소리가 들렸다.
“모두 배 난간을 꽉 잡아.”
그러나 우리말이 익숙하지 않았던 인도네시아 뱃사람 수카르노가 그물을 끄는 밧줄에 다리가 걸려 비틀거리며 넘어지려고 했다.
“수카르노!”
갑판장 최 민식이 소리치며 난간도 잡지 않고 바로 뛰어갔다.

그러나 바로 그때, 몰아친 큰 너울이 배 옆을 때리면서 최 민식은 그대로 퍼붓는 물살에 휩쓸려 바다에 빠져버리고 말았다.

"갑판장!"

난간을 붙잡고 있던 나머지 뱃사람과 조타실에서 뛰어나온 박 선장이 외쳤지만, 최 민식은 이미 어둡고 성난 바다에서 모습을 감추었다.

아아.

이튿날 저녁, 북한 방송은 이렇게 말했다.

오늘 아침, 남조선에서 인민 공화국으로 넘어오려던 자를 바다에서 사살했다.

그러나 우리나라 방송에서는 다른 이야기를 했다.

강화도에서 고기잡이를 하던 우리나라 대영호 갑판장인 예순 살의 최 민식이 바다에 빠져 북쪽으로 표류하다 북한 경비정에 쏜 총에 맞아 숨진 것으로 보이는데, 북한군이 주검에 기름을 부어 불태워버렸다.

'뭐? 강화도, 대영호라고?'

누워서 텔레비전을 보던 이 영일이 벌떡 일어났다.

그리고 강화도로 돌아온 대영호의 모습이 보였는데, 나루터도 어제 바로 그가 본 그 곳이었다.

아아.

"자식들, 어떻게 바다에 빠진 사람을 구해줄 생각은 안 하고, 사람을 불태워 죽여?"

이 영일의 말에 설거지를 하던 그의 아내가,

"어제 봤다는 배 맞아?"

하고 되물었다.
“그래, 내가 틀림없이 봤다니까, 대영호라고 쓰인 배가 나가는 걸! 그리고 강화도 그 나루턴데 무얼.”
이 영일이 텔레비전을 뚫어지게 바라보며 말했다.
그런데 그때부터 우리나라 여론이 몹시 안 좋아졌다.
어떻게 바다에 빠진 사람을 구해주지 않고 불태워 죽일 수 있는가, 우리나라는 해군과 해경은 그동안 무엇을 했는가, 하는 것이었다.
그러자 우리나라에서 야릇한 이야기가 흘러나왔다.
우리나라 정보국이 미군과 함께 북한의 모든 무전을 엿듣고 있는데, 많은 빚을 진 최 민식이 스스로 북한으로 넘어갔다는 것이다. 그리고 그가 월북하겠다고 말했는데도, 북한이 간첩으로 잘못 알고 총으로 쏘아 죽인 다음에 북쪽에 코로나가 퍼질까봐 주검을 불태웠다는 것이었다.
이 영일은 이건 또 무슨 소리인가, 싶었다.
‘아니, 고기잡이하러 나간 뱃사람이 갑자기 왜 북한으로 넘어간다는 말인가? 뭐 빚 때문이라고? 그리고 북한에서는 코로나 때문에 주검을 불태웠다는 이야기는 하지도 않았는데, 우리나라는 왜 처음부터 북한군이 총으로 최 민식을 쏜 다음에 기름을 부어 불태웠다고 먼저 말했는가? 그런데 이제 와서는 그가 스스로 북한으로 넘어간 것 같다고?’
말도 안 되는 소리에 이 영일은 고개를 절레절레 흔들었다.
‘그렇다면 우리나라 정보국은 최 민식과 북한군이 나눈 이야기며, 심지어는 기름을 붓고 불에 태우는 것까지 다 듣고 보고 있었다는 말이 아닐까? 그렇다면 북한과 접촉할 시간은 있었다는 말인데, 왜 최 민식이 바다에 빠진 뱃사람이라고 먼저 말하지 않았을까? 그걸 미리 막지 못한 것이 두려워서? 그건 나라가 할 일이 아니다.’
이 영일은 그렇게 생각했다.
‘북한은 최 민식의 주검에 기름을 부어 불태웠다는 것을 감추려고 했을 것이다. 그런데 우리나라가 그걸 먼저 밝혔다는 것은 북한을 싸잡아 비난하려다 되레 큰코다치게 되자, 최 민식이 빚을 많이 져서 월북했다고 한 게 아닐까? 아아, 어떻게 나라에서 사람을 그렇게 다룰 수가 있다는 말인가!'

이 영일은 성이 나서 앉아 있지 못하고 자리에서 벌떡 일어났다.

그러니까 나라에서는 최 민식을 구하지도 못했고, 북한에 그를 살려서 돌려보내라고도 말하지도 못했고, 게다가 고기잡이를 하다 바다에 빠진 그가 월북하려고 했다고 거짓말을 한 것이다.

아아.

'어떻게 이런 일이 요즘에도 일어날 수 있다는 말인가!'

이 영일은 한숨이 나왔다.

며칠 뒤, 북한은,

남조선 한 어민의 죽음에 대해서 유감의 뜻을 전한다.

하고 짤막하게 말하고 말았다.

그게 살려달라는 사람을 죽여 놓고 그 주검에 기름을 부어 불살라 버린 북한이 할 말인가!

아아.

정말 어떤 나라가, 어떤 사람이 바다에 빠져 허우적대는 곧 숨질 수도 있는 이에게 총을 쏘고는 불을 질러버린다는 말인가!

그러나 그 일은 우리나라 몇몇 곳에서 다섯 식구들이 한꺼번에 죽은 일이 벌어지면서 잊히고 있었다.

아아.

한 달 뒤, 이 영일은 바람이 잔잔해진 강화도 그 나루터를 다시 찾았다.

그날처럼 바람이 몰아치고 거센 물결이 일지는 않았지만, 바다는 더 차가워져 있었다.

아아.
글쟁이인 그가 할 수 있는 일이 무엇일까?
어떻게 사람답게 사는 세상을 만들 수 있을까?
그에게 그것은 글을 쓰는 것뿐이었다.
아아.
이제 그 어느 누구도, 어떤 방송에서도 갑판장 최 민식의 죽음에 관해서는 이야기하지 않았다. 모두 어느새 새까맣게 잊고 있는 것이다.
아아.
그런데 그가 강화도에서 돌아온 다음 날 아침, 대영호 선장 박 강길과 베트남과 인도네시아 뱃사람 넷이 기자들 앞에 섰다.

우리는 대영호 갑판장 최 민식이 월북한 것이 아님을 밝힌다.
지난달 2022년 10월 1일, 강화도에서 대영호를 타고 함께 고기잡이를 나가던 최 민식은 인도네시아 선원인 수카르노를 구하려다 덮친 물살에 휩싸여 바다에 떨어졌고, 물결에 휩쓸려 북한으로 떠내려간 것이 분명하다.
우리가 그를 구하지 못한 것도 가슴이 찢어지고 이렇게 목이 메는데, 왜 정부는 함부로 그가 월북했다고 말하는가! 우리 다섯 사람은 갑판장 최 민식이 바다에 빠지는 것을 틀림없이 보았고, 순식간에 그는 바닷물 속으로 사라지고 말았다.
이에 우리는 다음과 같이 요구한다.

하나. 우리는 하루빨리 모든 사실이 제대로 밝혀지기를 바란다.
하나. 우리에 대한 경찰의 사찰을 중지하기를 바란다.
하나. 우리는 비인간적인 북한의 만행을 규탄하며, 최 민식의 주검을 돌려보내기를 촉구한다.

2022년 11월 1일

대영호 선장 박 강길, 선원 일동.

아아.

이 영일은 그 방송을 보며 눈물을 줄줄 흘렸다.

아아.

이 영일도 목이 멨는데, 최 민식의 아내와 아들딸, 대영호 선장과 선원은 오죽하랴!

그러나 그 11월이 가지도 않았는데, 사람들은 이미 그 일을 잊고 있었다.

다만, 글쟁이인 이 영일이 그 일을 글로 쓰고 있었다.

- 끝 - 2023/10/3

윤동주와 송몽규

윤동주는 1942년 스물다섯 살 때 '참회록'이라는 시를 썼다.
참회할 것도 그다지 없는 사람이 또 참회를 한 것이다.
무엇을 위해서?
슬픈 나라를 위해서일 게다.
아아.
그렇다면 시름에 잠긴 예순세 살의 나는 무엇을 해야 할까?
요즘 우리나라는 즐거운가?
그런대로 살 만하다고?
그러면 그대는 아주 잘 살고 있는 것이다.
그래도 나는 서른, 마흔, 쉰 살 때보다는 덜 시름에 잠긴 편이다.
그때는 왜 그렇게 힘이 들었는지, 아마 젊어서 그랬을 것이다. 하지만 나는 나이가 들면서 슬기는 더 쌓였고, 삶은 또렷하게 보였다.
젊었을 때도 삶의 길은 또렷했지만 내가 따라가지를 못했는데, 요즘은 따라갈 만하다. 그 길이 무엇이냐고? 사람을 위해서 사는 것.

아아.
그러면 늙으면서 다 삶이 또렷하게 보이느냐고 여러분은 묻겠지만, 내가 보기에는 그런 사람이 적다.
윤동주는 나라를 되찾는 길을 찾으려 북간도에서 서울로, 다시 일본에도 가보았지만 거기서 왜놈에게 잡혀 1945년 2월, 후쿠오카 형무소에서 생체 실험으로 숨지고 말았다. 그때 윤동주 나이 스물여덟 살이었다.
아아.
내가 1942년 윤동주라면 미리 알고 일본으로 가지 않았을 테지만, 그리고 1943년 일본 쿄오토오 역에서 왜놈 형사가 따라붙은 것을 따돌렸을 테지만, 그는 떠났다. 차라리 우리는 윤동주가 용감했다고 말하자.
윤동주의 사촌 형 송몽규도 왜의 후쿠오카 형무소에 함께 잡혀 있었는데, 1945년 3월 거기서 숨졌다. 윤동주는 나라의 독립을 위해 만주를 오고 가는 송몽규를 많이 따랐으며, 그렇게 하지 못하는 스스로를 탓했지만, 내가 보기에는 시를 써서 그만한 일을 했다.
그래서 나는 그들 둘이 살아서 우리나라로 돌아오는 이야기를 쓰려고 한다.

“왜놈이 뒤에 붙었다.”
송몽규가 윤동주에게 말했다.
“뒤돌아보지 마.”
그 말을 들은 윤동주가 입술을 굳게 다물었다.
1943년 7월, 일본 쿄오토오 역에는 비가 내리고 있었다.
일본 토오시샤 대학에 다니고 있던 윤동주와 코오토오 대학에 다니던 송몽규는 여름 방학에 잠깐 서울과 북간도 용정에 있는 집에 들르려고 했던 것이다.
왜놈 형사 요시다와 이토오는 기차 정거장 가장 끝에 있는 기둥 뒤에 몸을 숨겼다.
"녀석들이 알아챈 건 아닐까?"
"글쎄요."
눈매가 날카로운 이토오가 말했다.
"죄명이 뭐야?"
갑자기 경찰서에서 나온 요시다가 물었다.
"불온한 조선인입니다."
"그게 죄명이야?"
요시다는 기가 찼다.
"둘 가운데 송몽규, 라는 놈은 조선 독립 운동을 하는 것 같습니다."
"그래?"
그런데 그때 요시다가 다시 정거장을 바라보았을 때, 이미 윤동주와 송몽규는 사라지고 없었다.
"놓쳤다, 쫓아라!"
요시다가 외쳤다.
그러나 윤동주와 송몽규는 이미 기차 정거장 담벼락을 넘어 낡은 판잣집이 늘어선 골목으로 달아난 다음이었다.
허탕을 치고 쿄오토오 경찰서로 돌아온 요시다는,
"둘 다 대학생이지?"
하고 이토오에게 물었다.
"네, 둘 다 조선 독립 운동을."
"그래, 잘 감시하도록 해."
요시다는 그렇게 말하면서도 나라를 잃어버린 젊은이라면 되찾기 위해 서로 이야기도 나눌 수 있지 않을까, 총칼로 들고일어난 게 아니라면, 그게 그렇게 잘못된 것일까, 하고 생각했다. 하지만 요시다가 그런 모습을 웃대가리나 이토오 앞에서 보일 수는 없는 노릇이었다.

"어떻게 알았을까?"
송몽규가 말했다.
"지난달부터 야릇한 놈이 한둘 있기는 했습니다만."
윤동주는 미리 그걸 송몽규에게 말하지 않은 걸 뉘우쳤다.
1943년의 일본은 미국과 싸우느라고 죽느냐 사느냐의 갈림에 서 있었다.
"그러기에 잠자는 사자를 왜 건드려."
윤동주가 그렇게 말하자,
"아니, 차라리 잘되었지, 이제 왜놈들은 끝장이 날 거야."
하며 송몽규가 말했다.
"그런데 우리나라로 어떻게 들어가죠?"
윤동주가 물었다.
"글쎄, 얼마 동안은 숨어 있어야지."
윤동주는 이러다가 대한제국으로 못 돌아가는 게 아닐까, 싶었다.
"블라디보스토크에서 용정으로 들어갈 수도 있겠군."
그때 송몽규가 뜻밖의 말을 했다.
"네? 블라디보스토크에서요?"
일본 북동쪽 니이가타에서 한 달에 한 번 러시아의 블라디보스토크로 가는 배가 있기는 있었지만, 이미 왜경이 눈에 불을 켜고 그들을 찾을 텐데 거기까지 간다고 해도 배에 오를 수나 있을 것인지, 알 수가 없었다.
아아.
그들 둘은 쿄오토오의 어느 흐름한 절 뒤쪽 빈 집에 자리를 잡았다.
이미 대한제국 유학생들을 왜경이 잡아들이고 있어서, 두 사람은 먹을거리를 밭이나 동네 가게, 다른 집에 들어가 훔칠 수밖에 없었다.
"배에 숨어들자. 부산으로 가는 시모노세키보다는 니이가타 쪽이

느슨할 거야."
송몽규가 밭에서 몰래 캔 날 고구마를 씹으며 말했다.
"그렇지만 니이가타까지 어떻게 간다는 말입니까? 기차역마다 왜경이 있을 텐데, 차라리 오오사카 조선인 마을에 숨어드는 게 낫지 않을까요?"
윤동주가 걱정스럽게 물었다.
"오오사카? 그래, 그것도 괜찮겠군."
송몽규가 뜻밖의 말을 들었다는 듯이 얼굴빛이 바뀌었다.
"그래, 오오사카로 가자, 거기 내가 아는 사람이 있어. 걸어서 가도 이틀이면 돼."
1943년 여름 밤, 그들 둘은 오오사카까지 걸어가고 있었다.
쿄오토오를 빠져나올 때는 자전거를 훔쳐 신나게 달아났고, 거의 오오사카에 다다를 무렵에야 더는 탈 수 없게 된 자전거를 버리고 윤동주와 송몽규는 밤길을 걷고 있었다.
"왜놈들이 잠잠해지면 토오쿄오로 가자."
송몽규가 말했다.
"토오쿄오?"
윤동주가 그를 바라보았다.
"그래, 왜놈의 머리를 부숴버리자. 왜 왕궁 말이야."
송몽규가 굳은 얼굴로 말했다.
"1924년 김지섭, 1932년 이봉창 열사가 왜왕 히로히토를 없애려고 폭탄을 던졌듯이!"
아아.
윤동주는 갑자기 가슴이 북받쳐 올랐다.
새벽 오오사카 조선인 마을에는 대번에 마늘과 된장 냄새가 물씬 났다.
아아.
거기에는 왜경이 얼씬거리면 바로 송몽규와 윤동주에게 전해졌기 때문에, 그해 막바지까지 그들은 어떻게 왜왕에게 폭탄을 던질 것인지만 서로 이야기를 나누었다. 의열단 김지섭과 대한 애국단 이봉창 열사가 그랬듯이 윤동주와 송몽규도 1943년 12월에는 상하이 임시 정부에서 건네준 수류탄 네 발을 받을 수 있었다.

1944년 1월 1일, 윤동주와 송몽규는 토오쿄오로 가는 기차에 몸을 실었다.

눈발이 드문 토오쿄오 쪽에는 하얀 눈이 나부끼고 있었다.

그들 둘은 흩어져서 따로 우중충한 붉은 벽돌로 세워진 토오쿄오 역을 설날이라 엄청나게 붐비는 사람 틈에 섞여 빠져나갔다.

그들은 먼저 전차를 타고 1942년 윤동주가 잠깐 다녔던 릿교 대학 앞 낡은 판잣집으로 향했다. 거기에 윤동주의 벗인 김우혁이 살고 있었다. 그들이 들고 있는 낡은 가죽 가방 속에는 네 발의 수류탄이 감추어져 있었다.

그날 밤, 그들 둘은 토오쿄오 치요타에 있는 왜 왕궁으로 발걸음을 옮겼다.

거사는 모레 1월 3일이었지만, 언제 어디에 수류탄을 던질지 미리 알아야 했기 때문이었다. 밤이라고는 하지만 새해 첫날이라 놀러온 사람으로 왜 왕궁 앞은 붐볐다.

"이들이 모레까지 붐빌까?"

송몽규가 왜경의 움직임을 살피며 사람들 속에서 윤동주에게 속삭였다.

"줄어들겠지요."

"그렇다면 내일 밤이 어때? 쇠뿔도 단김에 빼랬다고. 길면 꼬리가 밟힐 수도 있고."

"내일요?"

윤동주는 눈이 휘둥그레졌지만, 송몽규는 고개를 끄덕였다.

왜경 둘이 돌다리 건너에서 왔다 갔다, 하고 있었다.

"저 돌다리를 건너지 않고도 언덕 위 왜 왕궁까지 올라갈 수 있을 거야. 나무가 우거져서 밤에는 더 안 보일 테니까. 내가 저 돌다리 오른쪽 언덕으로 올라가고, 너는 왼쪽 저기 보이는 큰 소나무 쪽으로 올라가. 둘 가운데 한 사람은 성공을 해야지."

송몽규는 그렇게 말하며 언덕 쪽을 살폈다.

"이제 그만 돌아가자."

그들이 김우혁의 집으로 돌아왔을 때는 밤이 꽤 깊어 있었다.

"내가 도울 일은 없어?"

김우혁이 윤동주에게 물었다.

"여기 말고 다른 곳에 사는 벗을 알아봐. 내일 밤 우리가 쫓기면 거기에라도 가야 할 테니."

"음, 알았다. 그런데 무슨 일을 벌이는 거야?"

"그건 모르는 게 나아. 너도 위험해 질수 있으니까."

윤동주가 그를 달랬다.

이튿날 저녁 7시, 윤동주와 송몽규는 토오쿄오 치요타 공원 안으로 들어섰다.

거기는 어제보다는 사람이 줄었지만, 여느 때보다는 훨씬 붐볐다. 그들은 사람 틈에 섞여 왜 왕궁이 바라보이는 쪽으로 걸어가다가 어제 보았던 돌다리가 보이자, 둘은 흩어졌다. 그들은 품에 수류탄을 두 발씩 품고 있었다. 송몽규는 돌다리를 지나 오른쪽으로 접어들었고, 윤동주는 오던 길을 조금 내려가 왼쪽 언덕 숲속으로 들어갔다.

차가운 물이 송몽규의 무릎까지 차올랐지만, 그는 물소리를 내지 않고 어둠 속에서 왜왕이 사는 언덕을 걸어 올랐다. 왜경은 돌다리 쪽에만 모여 있는지, 깜깜한 숲에는 아무 것도 보이지 않았다.

윤동주도 물을 건너 언덕 소나무 숲에 들어섰다. 멀리 돌다리 쪽에 불빛이 보였지만, 언덕은 캄캄했다.

왜궁은 집을 두 채 포개어놓은 것처럼 어둠 속에 서 있었다.

그 담벼락 따라 도는 왜경 둘은 몇 분에 한 번씩 수풀 속에 숨은 송모규 앞을 지나갔다.

'저 담벼락만 넘을 수 있다면.'

송몽규는 왜경 둘이 모퉁이를 돌 즈음에 어둠 속에서 나와 담벼락을 타넘었다.

그리고 그는 그대로 곧장 왜경 둘이 서 있는 불이 켜진 문간 앞으로 달려가며 가슴 속에서 수류탄을 꺼냈다.

"다래다(누구냐)!"

그런 소리가 들렸지만, 송몽규는 수류탄을 꺼내 그곳에 던졌다.

쾅, 쾅!

땅바닥에 엎드려 있던 송몽규는 벌떡 일어나 다시 담벼락을 타넘었다.

불꽃과 함께 쾅, 소리가 난 쪽을 바라보던 윤동주도 마치 야구공을 던지듯 힘껏 담벼락 안으로 수류탄 두 발을 던져 넣었다.

쾅, 쾅!

새까만 밤하늘에 시뻘건 불꽃이 피어오르고, 어딘선가 호루라기와 개 짖는 소리가 들렸다.

윤동주는 그대로 숲속 어둠으로 내달렸다.

해자의 물이 무릎까지 차올랐지만, 그는 달리고 또 달렸다.

그때, 누군가 시커먼 어둠 속에서 그의 어깨를 낚아채었다.

"동주!"

송몽규였다.

"형."

"뛰어!"

그들 둘은 놀란 사람들이 흩어지는 치요타 공원 속으로 달려갔다.

그리고는 어디선가에서 세워진 전차를 탔고, 릿쿄 대학 가까운 곳에 그 둘은 내렸다.

몸을 피할 곳 없는 그들이 들어선 곳은 김우혁의 자취방이었다.

"어떻게 된 거야? 시내엔 온통 사이렌 소리야."

김우혁이 땀에 범벅이 된 둘을 바라보며 물었다.

“그래, 오늘은 여기서 지내고 내일이나 모레쯤 다른 곳으로 옮기자.”

송몽규가 말했다.

윤동주도 신발을 들고 김우혁의 자취방 안으로 들어갔다.

이튿날, 일본이 발칵 뒤집혔다.

김우혁이 들고 들어온 호외 신문에는,

천황 궁에 폭탄 터져!

라는 글이 주먹만 하게 새겨져 있었다.

그날부터 몇 해가 지나도록, 그들 둘의 모습을 본 사람은 아무도 없었다.

그러나 들리는 말에 따르면 1945년 우리나라가 해방이 되고, 그들 둘을 서울에서 보았다는 사람도 있고, 북간도 용정에서 보았다는 사람도 있었다.

- 끝 - 2023/10/18

국군 포로

가을이 깊어지고 있다는 것은 그도 깊어지고 있다는 말이었다.

왜냐하면 그도 이제 나이가 일흔 살이었고, 글도 꽤 가르쳤기 때문이었다.

그렇다고 해서 그가 몹시 늙었다거나, 꿈을 꾸지 않은 것도 아니었지만 말이다.

"요즘은 잠을 잘 자."

김민우가 말했다.

"그래요? 그거 잘됐군요."

올해 마흔 살이 된 그의 아들 김결이 말했다.

늘 새벽에 깨고는 잠을 이루지 못하던 그가 좀 더 일찍 잠이 들었고, 더 늦게까지 잘 수 있었다.

요즘 그가 쓰는 글은 이랬다.

남북으로 헤어진 사람, 전쟁 포로, 납북자 및 식량 회담을 열자.

그의 말대로 아직 북한에는 몇 십만 명의 이산가족, 전쟁 포로, 납북자가 살아 있을 것이다. 그리고 그 땅에는 먹을거리가 모자란다.

아아.
그래서 그가 좀 더 젊었을 때는 북한이 빤히 보이는 임진강 쪽으로 곧잘 달려가서는 글쟁이로서 어떻게 둘로 갈라진 나라를 이을 수 있을까를 그려보곤 했지만, 요즘엔 그게 뜸해졌다.
그리고 그는 그런 이야기를 몇 십 편이나 썼지만, 남북은 가까워지는 듯하다가는 더 멀어지기 일쑤였다.
아아.
"어쩔 수가 없는 일이지요."
그의 아들이 말했다.
그는 지난 서른 해 동안 남한 특사가 북한에 가서 담판을 짓는 이야기도 써보고, 전쟁 포로나 납북자가 살아서 돌아오는 이야기도 써보았지만, 남북의 길은 좀처럼 잘 열리지 않았다.

1950년 6.25 전쟁 때 죽었는지 살았는지도 모르는 그의 아버지가 살아 있다면 올해 아흔 살이었다.
그런데 2020년 아흔 살의 국군 포로가 중국으로 탈출했다는 이야기가 우리나라 한 신문에 흘러나왔다. 그는 1950년 6.25 전쟁 때 파주에서 북한군에 사로잡힌 뒤 끌려가 1953년 남북 포로 교환 때도 돌아오지 못하고, 2000년 일흔 살 때까지 쉰 해 동안 함경북도 아오지 탄광에서 석탄을 캤다고 한다. 그러다가 2020년 아흔이 되어서야 압록강을 넘어 중국으로 탈출하게 되었다는 것이었다. 이름은 김혁철. 바로 김민우의 아버지였다.
그 김혁철이 2023년 봄, 아흔셋에 남한 땅에서 숨졌다.
그때 김민우는 일흔세 살이었고, 그의 아들은 마흔세 살이었다. 그러니까 김혁철은 2020년 중국에서 우리나라로 들어와 세 해를 살다가 숨진 것이다.
2020년 김혁철이 말했다.
"2000년까지 북한 탄광에는 우리 국군 포로가 3000명이나 있었지. 모두 그들 이름을 외우고 다녔지, 언젠가는 함께 남으로 돌아가야 한다고.”
그 말을 또렷이 떠올리던 김민우가 그의 아들 김결에게 말했다.
“네가 할아버지를 모시고 병원에 가던 길에 차가 갑자기 뒤에서 들이박았다고 했지?”
“예, 그런데 그건 왜?”
“아니, 요즘 자꾸 야릇한 생각이 들어서. 2000년에 살아서 돌아온 국군 포로, 이름이 뭐더라, 그래, 최태익, 그 사람도 차 사고로 숨져서 말이야. 그도 나라에서 주는 포상금 200만 원도 받지 않았으니까.”
“그래요?”
“그래, 아직 북한에 멀쩡히 살아 있는 국군 포로는 한 사람도 데려오지 않으면서 전향한 장기수는 돌려보낸다고, 그는 나라에서 주려는 돈을 받지 않았지.”
“할아버지도 그러셨잖아요?”
“그래, 그래서 말이야, 그런데 내가 봤다던 그 차는 생각나?”
“예, 그때 저도 다쳐서 잘 보지는 않았지만, 웬 사내가 죄송하다면서 검은 차에서 내렸는데, 왜 나중에 보상까지 다하고, 몇 달 동안 조사도 받았잖아요?”
“그러다가 그 사람 풀려났지, 몇 달 만에?”
“예.”
“2000년에 숨진 국군 포로 최태익 씨는 뺑소니차에 당했고. 뭔가 야릇하지 않니? 난 요즘 밤마다 그런 생각이 자꾸 들어.”
김민우는 고개를 갸우뚱했다.
“그러니까 나라에서 주는 포상금을 받지 않고 북한에 살이 있는 국군 포로를 데리고 오자고 했던 사람이 둘 다 차 사고로 죽었다는 말이지요?”
“그래. 한 사람은 뺑소니차에, 네 할아버지는.”

거기까지 말하던 김민우가.
“그 사람 다시 한 번 찾아보자, 어디에서 무얼 하는 누구인지 말이야.”
하고 느닷없이 말했다.
“예?”
김결이 놀라 한 걸음 뒤로 물러섰다.
“아, 저한테 그 사람이 준 명함이 있습니다.”
김결이 지갑 속에 넣어두었던 명함을 꺼냈다.
“그래? 거기로 전화를 걸어봐.”
김민우가 말했다.
하지만,
“없는 전화번호입니다.”
라는 말만 전화기에서 흘러나왔다.
“야릇하네, 그때 내가 여기로 전화를 걸었는데. 대견 상사, 주소는 있는데 한 번 찾아가볼까요?”
“그래, 쇠뿔도 단김에 빼랬다고, 같이 가보자.”
김결이 차를 몰고, 그 옆자리에 김민우가 앉았다.
그러나 대견 상사는 문이 굳게 잠겨 있었다.
“어떻게 하죠?”
“조금만 더 기다려보자.”
김민우가 그렇게 말했지만, 그로부터 한 시간이 지나도 아무도 오지 않았다.
“오늘은 그만 돌아가자.”
그들 둘은 조금 힘이 빠진 채 집으로 돌아갔다.
그러나 이튿날, 일흔세 살의 김민우는 전철을 타고 혼자 거기를 다시 가보았다.
그런데 문은 닫혀 있었지만, 사람은 안에 있는 것 같았다.
“여기 한문수, 라는 분 있습니까?”

김민우가 문을 한두 번 두드리다 밀고 들어가며 물었다.
대견 상사 안에는 두 사람이 있었다.
"누구시죠? 여기 그냥 들어오시면 안 됩니다."
하며 똥똥한 사내가 앞으로 나왔다.
사무실 안에는 종이 상자 몇 개만 쌓여 있을 뿐, 그들이 보던 노트북 말고는 아무 것도 없었다.
"한문수라는 사람을 찾아왔습니다만."
"예? 그런 사람 없으니까 가세요."
"그런데, 왜 그러세요?"
그때 뒤쪽에 있던 바싹 마른 사내가 일어나며 물었다.
"예, 세 해 앞에 있었던 교통사고 때문에요, 그때 아흔 살인 내 아버지가 숨졌는데, 차를 몬 사람이 여기 대견 상사 한문수로 되어 있어서."
김민우가 말했다.
"글쎄요, 저희는 모르겠습니다, 그런 사람은."
마른 사람이 얼버무렸다.
"있기는 있었는데, 그만두고 나갔나요?"
김민우가 또 물었다.
"내가 여기 몇 해나 있었는데, 그런 사람은 없습니다. 그러니 그만 가세요."
깡마른 사람이 김민우를 밀다시피 문 쪽으로 몰았다.
하는 수 없이 김민우는 밖으로 나왔지만, 뭔가 꺼림칙했다.
'뭔가 알고 있는 게 틀림없어.'
김민우는 그냥 집으로 돌아와 그날 있었던 일을 그의 아들 김결에게 이야기했다.
"그러니까 그들 둘 가운데 하나가 한문수이거나, 적어도 거기에 있었던 사람이란 말이죠?"
김결이 말했다.

“그러면 제가 한문수의 얼굴을 아니까, 한번 가보면 되겠군요, 그들 가운데 그가 있는지 말입니다.”
그들은 이튿날 다시 대견 상사로 찾아갔다.
그런데 웬걸, 문이 꽉 닫혀 있었고, 한 시간을 기다려도 아무도 나타나지 않았다.
그래서 그 자리에서 김결이 국제 통신망에 대견 상사, 한문수라고 써서 찾아보았다. 그랬더니,

대견 상사는 우리나라 정보부의 다른 이름으로 민간에서 활동하고 있는 조직을 말한다.

라는 글이 뜨는 게 아닌가!
아, 진작 왜 그렇게 찾아보지 않았는지 통탄할 일이었지만, 김민우와 김결도 몹시 놀랐다.
“그렇다면 정보부에서 우리나라 국군을 죽인 게 아닙니까?”
김결이 대번에 그렇게 말했다.
“그래, 그런 냄새가 나. 이걸 어떻게 하지? 이놈들을 그냥!”
김민우는 성이 났다.
“아버지, 제가 이걸 통신망에 쓰고 언론사에 알리겠습니다. 할아버지를 위해서라도.”
김결은 목이 멨다.
“그래, 그렇게 하자, 반드시 이놈들을.”
김민우는 부르르 몸을 떨었다.

북한을 탈출한 두 국군 포로가 2000년과 2023년 봄에 차에 치여 숨졌는데, 그 뒤에는 우리나라 정보부인 대견 상사가 있었던 것으로 보인다.

그리고 김결은 2023년에 숨진 국군 포로가 그의 할아버지 김혁철임을 통신망에 밝혀두고는 언론사에도 그대로 써서 보냈다.
그러자 대번에 한 신문사에서 그를 찾아오겠다는 전자우편이 왔다.

2023년 봄에 숨진 국군 포로 의문의 죽음.

며칠 뒤, 그 신문에 김혁철의 이야기가 실렸는데, 대견 상사는 우리나라 정보부의 위장 회사라고도 쓰여 있었다.
그러자 나라가 발칵 뒤집혔다.
아니 어떻게, 나라를 지키다 북한으로 끌려가, 일흔 해를 강제 노동에 시달린 국군 포로가 목숨을 걸고 중국으로 탈출해서 우리나라로 다시 돌아왔는데, 나라에서 그들을 죽일 수가 있다는 말인가, 라는 것이었다.
아아.
한 달 만에 국회에서 청문회가 열렸다.
거기에 우리나라 정보부장이 참고인으로 나왔다.
"대견 상사가 정보부의 위장 회사입니까?"
야당 국회의원이 따져 물었다.
"기밀이라 말할 수 없습니다."
얼굴이 두껍게 생긴 정보부장이 말했다.
그러자 그 국회의원이,
"뭐라고요? 사람을 죽이어 놓고 기밀이라고 하면 답니까!"
하고 소리를 질렀다.
"말씀이 너무 심합니다."
그래도 정보부장은 그들이 한 짓이 아니라고는 끝끝내 말하지 않았다.
"김혁철이라는 사람은 압니까?"
"이름은 들은 적이 있습니다."

“한문수라는 사람은요, 대견 상사 직원인데?”
“처음 듣는 이름입니다.”
“누군지 모릅니까?”
“모릅니다.”
“여보세요, 정보부장, 대견 상사 직원 한문수가 차로 국군 포로 김혁철을 치어 죽였는데, 모른다는 말입니까!”
그때 정보부장이 얼굴이 벌게지며,
“단순한 차 사고일지도 모르잖습니까?”
하고 소리쳤다.
“그럼 그건 한문수가 대견 상사 직원이기는 이라는 말이네요, 단순한 차 사고라고 하는 걸 보니.”
“아, 그건.”
하고 정보부장이 얼버무리려고 했지만, 이미 때는 늦었다.
“그러면 2000년에 역시 차 사고로 숨진 국군 포로 최태익 씨도 정보부에서 없앤 것입니까?”
“모릅니다. 그때 저는 정보부에 있지도 않았으니까요.”
재빨리 얼을 차린 정보부장이 말했다.
“그러니까 나라에서 입을 막으려고, 북한에 살아 있는 국군 포로를 데리고 오자던 사람을 둘 다 죽인 것 아닙니까? 우리가 대견 상사는 정보부의 위장 회사이고, 한문수가 정보부 직원이었다는 것만 밝히면 되겠네요? 어디 한 번 말해보세요.”
“저는 모르는 일입니다, 그리고 국가 기밀은.”
“이제 다 드러난 마당에 기밀은 무슨 기밀입니까? 한문수가 정보부 요원인지 아닌지 그것만 말해보세요.”
“모릅니다.”
“아는 데 모른다고 하는 것은 위증입니다.”
다그치는 국회의원의 말에 정보부장은 꿀 먹은 벙어리가 되고 말았다.

그리고 두 달 뒤 국회가 국정 조사를 벌였고, 대견 상사는 정보부의 위장 회사라는 것과 한문수가 그 직원이라는 것, 그리고 국군 포로 최태익 씨가 2000년 빵소니차에 숨진 것도 그들이 한 짓임이 드러났다. 한문수는 곧 경찰에 잡혔고, 곧 살인 혐의로, 정보부장은 살인 교사 혐의로 재판을 받게 되었다.

방송에 나온, 그들이 꽁꽁 숨겨두었던 한문수는 바로 2023년 봄 김결이 보았다는 그 사람이었다.

아아.

아직 북한에는 적어도 몇 백 명의 국군 포로가 살아 있을 것이다. 그리고 그들은 이미 아흔을 넘겼고, 하루하루 몇 사람씩 숨져갈 것이다.

아아.

김민우와 김결은 오랜만에 할아버지가 묻힌 국립묘지를 찾았다.

거기에도 나뭇잎이 떨어지고 있었다.

- 끝 - 2023/10/25

철책

서울 영하 2도.
'11월이면 그럴 수도 있지.'
하고 이 병호는 생각했으나, 열흘 앞만 하더라도 15도는 되었다.
요즘엔 11월에 눈이 내리지 않으니까 그렇게 생각할 수도 있지만, 그가 군대에 가던 1980년 11월에는 눈이 왔다.
그의 어머니와는 시골 정류장에서 헤어지고, 그는 안동에서 군용 열차를 탔는데 창밖에 눈이 내리고 있었다. 아니, 그 앞부터 이미 눈이 내리고 있었는지도 모르지.
아까 눈발 속에서 그는 기차 정거장에 머리를 박박 깎은 다른 이와 함께 줄지어 쪼그리고 앉아 있었던 것이다.
그들을 억누르는 듯이 군인 몇몇이 호루라기를 불며 이리저리 뛰어다니고 있었다.
"똑바로 앉아!"
그때 하늘에 눈이 흩어지며 내렸는지까지는 그가 떠올릴 수 없었다.
그는 그때까지도 머리카락을 깎지 않았고, 그렇게 두렵지도 않았다.
그가 머리카락을 박박 깎은 것은 그로부터 이틀쯤 지나 보충대에서 기다리고 있을 때였다. 그때까지 그는 그 안에서 빵도 사먹고 했을 테지만, 머리카락은 깎는 게 눈치가 덜 보였을지도 모른다.
그러나 사흘째 그가 북쪽 아주 추운 어디로 실려 가서 짐차에서 내렸을 때부터는 딴판이 되고 말았다. 그가 짐차에서 내리자마자,
"이 새끼들 안 뛰어!"
하는 소리와 몽둥이를 들고 달려드는 그들이 시키는 대로 깜깜한 어둠 속에서 내달리다, 어디쯤에서 다시 쪼그리고 앉았다.
그날 밤 거기는 아마 영하 10도쯤 되었을 테고, 그들은 그가 처음 보는, 귀를 덮는 긴 방한모를 쓰고, 마치 인민군이나 중공군 같은 군복을 입고는 긴 나무에 가마니를 끼워 석탄을 나르고 있었다.
아아.
그 밤에 그런 모습은, 그는 태어난 지 스무 해 만에 처음 보았다.
그리고 그해 성탄절까지 그는 거기서 훈련을 받았는데, 배가 고파서 땅바닥이나 쓰레기통에 버려진 과자나 라면 봉지 안에 남은 찌꺼기를 한두 번 주워 먹기도 했다.
아아.
야간 사격.
하늘에 별이 쏟아지는데, 그는 머리를 땅바닥에 박고 얼차려를 받고 있었다.
그렇게 해야만 사고가 일어나지 않는다는 것이 사격장의 불문율이었지만, 그들은 손과 발로 훈련병의 뺨과 배를 때리고 찼다. 그들은 거의 다 하사 계급장을 단 조교였는데, 그와 함께 훈련을 받던 김문식은 특히 많이 맞았다. 김 문식은 그보다 나이가 여덟 살이나 많았고 이미 짝을 지어 딸까지 하나 있었는데, 안경을 쓴데다 몸집도 작았다.
아아.
"이 새끼가!"
조교는 발로 김 문식의 배를 찼다.
김 문식은 그대로 땅바닥에 나뒹굴었다.

아아.
이 병호는 그 모습을 그대로 빤히 쳐다볼 수밖에 없었다, 아니 빤히 쳐다볼 수도 없었고 흘깃 보았다고 해야겠지.
땅, 땅, 땅!
별이 쏟아지는 새카만 밤하늘 아래에서 귀를 뚫는 총알 소리가 났다.
이 병호는 과녁에 몇 발이나 맞추었을까?
그가 열 발의 총알을 쏠 때마다 과녁에서 불꽃이 튀었다.
한 달 뒤, 이등병 이 병호는 바로 눈앞에 북한이 보이는 철책에서 총을 들고 서 있었다.
영하 20도까지 떨어지는 추위가 그의 온몸을 감쌌지만, 새벽까지 버티어야 했다.
아아.
철책 초소에는 비닐 한 장 없는 뚫린 창으로 눈보라가 몰아치고 있었다.
거기서 몇 초소 떨어진 곳에 김 문식이 있었는데, 그는 아내와 아들딸을 떠올리며 추위를 견디고 있었다.
아아.
철책에는 눈보라가 앞이 안 보일 만큼 휘몰아치고 있었다.
"야, 이 새끼야, 너 졸면 나한테 죽어!"
이 병호의 바로 뒤에 서 있는 최 병장은 그렇게 말하면서 다시 꾸벅꾸벅 졸고 있었지만, 그는 잠은 오지 않았다.
탕!
바로 그때였다.
김 문식의 초소 쪽에서 귀를 울리는 총소리가 났다.
"뭐야?"
깜짝 놀란 최 병장이 소리쳤다.
그러나 이등병인 이 병호가 먼저 초소 밖으로 나갈 수도 없었다.

“내가 나가볼 테니 잘 지켜!”
어느새 최 병장이 총을 들고 밖으로 나갔다.
탕!
이번에는 그 소리에 최 병장이 그대로 앞으로 쓰러지고 말았다.
적이었다.
1월의 겨울 검불 속에 적이 숨어 있는 것이다.
이 병호는 쓰러진 최 병장의 몸에서 흘러나오는 피를 쳐다보다가 입을 다물고는 다시 철책 쪽을 살폈다. 하지만 철책엔 눈발만 휘날릴 뿐, 아무 것도 보이지 않았다.
‘김 문식은 괜찮을까?’
이 병호는 잠깐 그런 생각이 들기도 했지만, 그도 두려워 엠16 소총만 세게 잡고 있었다. 바로 그 옆 엠60 기관총을 잡고 있어야 할 최 병장은 초소 문밖에 쓰러져 있었다.
아아.
웨-엥.
귀를 찢는 중대의 비상 사이렌이 울렸다.
바로 그때 멀리 철책 쪽에서 무언가 움직이는 것이 보였고, 이 병호는 그대로 방아쇠를 당겼다.
타 타 타 탕.
그리고 그 옆쪽으로도 시커먼 무엇이 움직이는 것 같아 이 병호는 다시 총을 쏘았다.
타타타 탕.
‘적이 철책을 끊고 들어왔을까?’
그건 이 병호도 알 수 없었다.
그때 중대의 지프차 한 대가 엄청나게 밝은 탐조등을 켜고 달려왔다.
“뭐야? 적이야?”
중대장이 이 병호에게 소리쳤다.

"네, 바로 저기 철책에 적입니다."

이 병호의 말에 중대장이 철책을 뚫어지게 바라보다가 아무 것도 보이지 않자, 그때야 쓰러진 최 병장을 보더니,

"어서 차에 실어."

하고 말했다.

작전 중 사망.

최 병장의 죽음은 그렇게 끝났다.

이튿날 날이 밝자마자 중대원들은 철책 쪽으로 들어갔다.

그리고 거기에는 어젯밤 이 병호가 쏜 총에 쓰러진 북한군이 하나 쓰러져 있었다.

"샅샅이 살펴봐!"

중대장이 말했다.

끊어진 철책 바로 뒤 검불에 북한군이 숨어 있을지도 몰랐다.

"어제 북한군은 몇 명이었나?"

중대장이 이 병호에게 물었다.

"두 명이었습니다."

이 병호가 말했다.

"그래?"

중대장도 바짝 긴장하고 있었다.

날마다 얻어터지기만 하고, 영하 20도의 밤마다 올빼미처럼 눈을 뜨고 철책을 바라보아야 했던 모든 꿈이 사라진 이 병호에게는 그런 일이 터진 게 차라리 잘된 것인지도 몰랐다. 김 문식은 살아 있었고, 그를 괴롭히던 최 병장은 죽었다.

그러나 사라진 북한군 하나는 끝끝내 찾을 수 없었고, 사단에서는 북한으로 되돌아간 것으로 보고하고 말았다.

이레 뒤.

이 병호는 바로 일등병으로 진급되었고, 닷새의 특별 휴가를 얻어 나가게 되었다.

그는 군용 짐차 뒤에 올라탄 채 꽁꽁 얼어붙은 산과 들을 바라보았다, 몇 달 만에 처음으로 보는 바깥세상이었다.

그런데 그가 어느 저자에서 내려서 시골 버스를 기다리고 있을 때였다.

웬 사내 하나가 그쪽으로 걸어오고 있었는데, 몰골이 말이 아니었다.

그때 버스가 먼지를 일으키며 다가왔다.

이 병호가 먼저 버스에 올라 맨 뒷자리에 앉았는데, 아까 그 사내도 올라탔다.

사내의 옷차림은 군복 같기도 아닌 것 같기도 한 옷을 입었고, 모자도 군모가 아니었는데, 그의 신발이 이 병호의 눈에 들어왔다. 이 병호가 훈령병 때도 신지 않았던 헝겊으로 된 진흙이 잔뜩 묻은 군화였다. 사내의 귀는 얼어터진 것 같았고, 버스 안에서도 추운지 몸을 잔뜩 움크리고만 있었다.

'혹시 그때 살아남은 북한군이 아닐까?'

갑자기 그런 생각이 번개처럼 이 병호의 머리를 스쳤다.

'곧 검문소가 나타날 거야.'

그 사내도 뒤가 켕기는지 살며시 고개를 숙여서는 이 병호를 살피는 것 같았다.

그때 검문소가 나타났고, 곧 헌병 하나가 올라탔다.

"잠깐 검문하겠습니다."

한 헌병이 경례를 하고는 양쪽을 살피며 버스 한가운데로 걸어왔다.

이 병호는 주머니에서 휴가증을 꺼냈다.

그러다가 문득 무슨 생각이 났는지, 이 병호는 볼펜을 꺼내 거기에 몇 글자를 썼다.

내 앞쪽에 앉은 사내 북한군인지도 모름.

병장 계급장을 단 헌병이 그 사내를 힐끗 보더니, 그냥 지나치고는 이 병호 앞에 섰다.

이 병호가 휴가증을 내밀었다.

그것을 받아든 헌병이 움찔하더니 고개를 뒤로 돌렸다. 그리고는 곧장 오른쪽 허리춤에 찼던 권총을 꺼내 그 사내의 왼쪽 머리에 갖다 대며 소리쳤다.

"손들어!"

그 순간 고개를 숙이고 있던 그 그 사내가 벌떡 일어나 헌병을 덮쳤고, 둘은 버스 바닥에 그대로 넘어졌다.

헌병이 아래에 깔리고, 위에 덮친 사내가 두 손으로 권총을 쥔 헌병의 오른손을 누르고 있었다.

그때 바로 이 병호가 뒷자리에서 일어나 두 사내를 건너뛰어서는 헌병이 쥐고 있던 권총을 잡고는,

"총 이리 줘!"

하며 빼앗았다.

그리고 이 병호는 그 뺏은 총을 사내의 머리에 겨누었다.

"손들어!"

사내는 순순히 손을 들고 일어났다.

그때 쓰러졌던 헌병이 일어나 그 사내의 손에 수갑을 채웠고, 이 병호에게 권총을 다시 받아들었다.

"앞으로 가, 이 새끼야!"

헌병이 억세게 사내를 버스 앞쪽으로 몰았다. 버스 앞에는 이미 헌병 몇이 엠16 소총을 겨누고 있었다.

이병호도 함께 버스에서 내렸다.

"함께 헌병대로 가서 진술서를 써야 되는데."

아까 그 헌병이 이 병호에게 말했다.

"네."

그날 이 병호는 헌병대에 가서 버스 안에서 있었던 일을 그대로 진술서에 썼다. 그리고 그 사내는 며칠 앞에 이 병호가 보았다던 북한군 둘 가운데 하나였고, 북쪽으로 다시 넘어가지 못하고 며칠 동안 숨어 있다가 남쪽으로 내려왔다는 것이 밝혀졌다.

그러니까 육군 이등병 이 병호가 북한군 둘을 잡은 것이었다.

그가 휴가에서 돌아오면 또 포상을 받을 수도 있겠지만, 이 병호는 얼른 집에서 푹 쉬고 싶었다. 그의 집은 서울에 있었는데, 날마다 기자는 찾아오고, 그의 얼굴이 방송에 나오며 제대로 쉴 수도 없었다. 그렇게 나흘이 지나고 닷새째 되는 날, 이 병호는 어두운 얼굴로 다시 짐을 쌌다.

'이제는 철책으로 다시 돌아가야 하는군.'

정말 이 병호는 철책으로 돌아가고 싶지 않았지만, 반드시 가야만 했다.

아아.

아비 어미에게 절을 하고 그는 무거운 발걸음을 옮기며 겨우 집을 나섰다.

아아.

밤이면 밤마다 보초를 서는 영하 20도의 철책으로 그는 다시 들어가야 했다.

아아.

북한군 둘을 잡아 상을 받았다고, 일등병이 되었다고 덜 얻어터질 것이라고는 이 병호도 생각하지 않았다.

아아.

버스를 몇 번이나 갈아타고, 마침내 철책으로 들어가는 군용 짐차 뒤에 한 마리의 곰처럼 웅크리고 앉은 이 병호는 알 수 없는 두려움과 슬픔에, 가슴을 억누르는 갑갑함에 몸서리를 치고 있었다.

"자네가 이 병호 일병인가?"

연대장이 그에게 손을 내밀었다.

"옛. 일병 이 병호."
그가 꼿꼿하게 선 채로 경례를 하며 외쳤다.
"그래, 대단하군, 대단해, 하하하."
연대장은 이 병호가 몹시 자랑스러운 듯 크게 웃었다.
창밖 밖에는 서너 개의 깃발이 차가운 겨울바람에 휘날리고 있었다.
거기에는 이미 땅거미가 내리고 있었다.
그날 밤.
그는 다시 군용 짐차를 타고 바로 북한을 마주한 철책을 향해 칠흑 같은 어두움 속을 달리고 있었다.
아아.

- 끝 - 2023/11/19

단군과 나

올해는 서력기원으로는 2023년이지만, 단군기원으로 4356년인데 단군왕검이 고조선을 세운 지 그렇게 오래되었다는 말이다.

그러니까 예수가 태어난 지는 2023해가 되지만, 단군왕검이 태어난 지는 4356해나 되었다는 것이다. 그런데도 우리는 올해 2023년이라고 하지, 웬만해서는 4356년이라고 하지 않는다.

제기랄.

그러니까 우리나라는 그리스나 이집트만큼 오래된 나라이다.

아아.

그런 우리나라가 왜 이렇게 짜증스러운 나라가 되었을까?

요즘엔 언제, 어디에 가나 모두 잔뜩 성을 내고 있다.

아아.

나는 그걸 때려 부수려고 글을 쓰기고 하고, 일부러 피하기도 하고, 소리를 내지르기도 했지만 말짱 도루묵이었다.

아아.

나는 단군왕검께 부끄러웠다.

어쩌자고 4356해나 된 나라가 이 꼴이라는 말인가!

그래서 나는 어느 날 갑자기 어떻게, 어떻게 해서 단군을 찾아갔다.

"처음 뵙겠습니다. 저는 이돌이라는 사람인데 올해 예순 살입니다."

내가 단군에게 절을 하며 말했다.

"아, 그래? 그런데 여기까지 어떻게 찾아왔지?"

그가 나를 아래위로 살펴보면서 물었다.
"예, 물어물어 찾아왔습니다."
"아는 사람이 거의 없을 텐데?"
단군은 호락호락 넘어가지 않았다.
"이래저래 찾아왔습니다."
나는 어찌어찌 찾아갔던 것이다.
단군이 있는 곳은 꽤 멀기는 멀었다.
서울에서 북쪽으로 천 리를 걸어 나는 겨우 고조선의 아사달에 이를 수가 있었다.
그런데 차로 가지 왜 걸어서 가느냐고?
그게 야릇하게 차로 가면 고조선이 안 나온다.
그러면 북한으로 어떻게 들어가느냐고?
그게 야릇하게 걸어가면 북한에서도 아무런 말도 안 하고, 그저 지나가는 사람인 줄 안다.
그러니까 우리가 살고 있는 3차원 말고 4, 5차원이 따로 있는 것이다.
아아.
하여튼 나는 단군을 만나기는 만났다.
"여기는 참 사람 살기 좋은 땅이군요."
내 말에 단군이,
"네가 사는 곳은 안 그러냐?"
하고 되물었다.
"예, 전혀 그렇지 않습니다. 한마디로 짜증스러운 곳입니다."
"그래? 왜 그렇지? 잘 다스리지를 못해서 그렇나, 우두머리가 누구야?"
"우리나라는 우두머리가 벌써 다섯 해에 한 번씩 일곱 사람이나 바뀌었는데, 바뀌어도 그다지 달라지지가 않았습니다. 아아."
"그래? 그러면 그걸 어떻게 하지?"

"그걸 가르쳐주십시오."
"나도 몰라, 난 그냥 사람을 위해서 다스릴 뿐이지."
"사람을 위해서요?"
"그래, 모두 사람을 위해서 살도록 다스리면 되지. 그게 그렇게 어렵나?"
단군은 참 간단히도 말했다.
또, 따지고 보면 맞는 말이었다.
아아.
단군은 몸집이 아주 컸고, 허리춤에는 번쩍이는 큰 칼을 차고 있었다.
"올해로 몇 해째 다스리고 있습니까?"
"쉰 해째."
"예?"
나는 깜짝 놀랐다.
그래서 오래 다스려야 잘 다스리나, 는 생각도 들었지만 고개를 흔들었다.
고조선은 청동기 문화를 꽃피우고 있었다.
저자에서도 사람은 서로 길을 비키고, 여기저기서 웃으며 이야기를 나누고 있었다.
아아.
'우리에게도 저런 때가 있었지.'
나는 잠깐 생각에 잠겼다가, 다시 단군을 만나러 백악산 아래에 있는 아사달 한가운데로 걸어갔다.
"아버지이신 환웅께서 정말 곰과 짝을 지어 단군을 낳으셨나요?"
나는 늘 궁금했던 것을 물어보았다.
"하하하."
단군이 오랫동안 웃기만 했다.
"이 사람아, 사람이 어떻게 곰과 짝을 지어, 하하하."

“그건 그렇지만. 삼국유사에 그렇게만 나와 있어서.”
“삼국유사? 누가 쓴 거야?”
“일연 스님이 썼는데요.”
“일연? 처음 듣는 이름인데. 아니야, 내 아버지 환웅께서는 웅 씨 아내를 맞이한 게지. 호(호랑이) 씨 아내가 아니고 말이야.”
“왜요?”
“그야 웅 씨 아내가 더 마음에 들어서지, 자네는 아무 하고나 짝을 막 짓나, 하하하.”
단군은 아까부터 웃음을 참지 못했다.
그러니까 일연 스님이 쓴 대로 곰과 호랑이가 마늘과 쑥을 먹다가 호랑이는 며칠 만에 더는 못 먹겠다고 달아났고, 곰이 스무하루를 먹고 견디다 드디어 계집이 되어서 환웅과 짝을 지은 것이 아니었다. 그러니까 웅 씨 집안이 처음부터 호 씨 집안보다 좀 더 훌륭했던 것이다.
아아.
“그러면 환웅의 아버지인 환인은 정말 하늘에서 내려오셨나요?”
내가 환인의 손자인 단군왕검에게 물었다.
“하하하.”
단군이 다시 껄껄껄 웃었다.
“일연이 또 그렇게 썼어? 아니야. 잘 몰라서 그렇게 썼겠지만, 내 할아버지 환인은 처음에 아사달 사람을 도우며 부지런히 일했지, 함께 북쪽에서 쳐들어오는 오랑캐를 막아내며 말이야. 그러다가 마침내 아사달의 우두머리가 되신 게지.”
“아, 예.”
나는 비로소 모든 것을 알게 되어 몹시 기뻤다.
단군왕검은 내가 몸집은 작지만, 생긴 거나 생각하는 게 마음에 든다고 아랫사람에게 잘해주라고 몇 번이나 말했다.
그런데 나는 야릇하게 슬슬 내가 살던 2023년의 서울로 돌아가고 싶었다.
아아.
서울에서 나는 그런대로 즐겁게 숲길도 거닐고, 글도 쓰고 했는데 여기 4356해 앞 고조선의 아사달에 와서는 이야기를 쓰지 못했다. 컴퓨터가 없어도 종이에 쓰면 되지만, 종이는 2000해가 더 지나야 나온다.
아아.
"저는 그만 살던 데로 돌아가겠습니다."
내가 어느 날 단군에게 말했다.
"그래? 아쉽군. 그런데 어떻게 돌아가지?"
단군이 내게 물었다.
"왔던 대로 돌아가면 됩니다."
"어떻게?"
"겨우겨우."
"호락호락?"
"어찌어찌."
"이래저래?"
"네."
2023년 11월, 나는 다시 서울로 돌아왔다.
그런데 아내는,
"잠깐 나갔다 오겠다더니, 왜 이렇게 늦게 와?"
하고 말했다.
아내는 내가 숲길에라도 갔다 온 줄 알고 있었다.
"음, 오늘은 저 한남동 네거리까지 걸어갔다 왔거든."
나는 좀 얼버무렸다.
그러니까 여느 때는 내가 30분 만에 돌아오지만, 오늘은 1시간쯤 걸린 모양이었다. 왜, 누가 몇 해 동안 다른 별에 다녀오니까, 지구에 있는 사람은 그동안 몇 십 해가 지나 다 늙어 있더라는 이야기

있잖아?

아아.

그런데 내가 여기 서울에 한 달쯤 있으니까, 다시 고조선에 한 번 가보고 싶었다. 단군왕검이 나한테 잘해주어서 그렇기도 하지만, 때때로 여기 거기 오고 가는 것도 괜찮지 않을까? 청동이 번쩍거리는 아사달의 저자라든가, 사람을 짜증나게 하지 않는 사람들이라든가, 단군과 나눈 곰과 호랑이의 이야기도 재미있었다.

아아.

나는 또 어찌어찌해서 겨우겨우 고조선으로 들어섰다.

“우아, 이게 누군가, 반갑군.”

단군이 나를 또 반갑게 맞아주었다.

“그래, 또 자네가 사는 데서 짜증이 나서 찾아왔나?”

단군이 물었다.

“예. 조작, 사고. 사기, 재개발의 나라에 길 한 번, 자리 한 번 비키지 않는 좀팽이와 망나니가 판을 칩니다.”

나는 2023년의 우리나라를 느낀 대로 말해주었다.

“아, 그래? 조작, 사고, 사기는 다 알아듣겠는데 재개발은 무슨 말이지, 좋은 말 아닌가?”

단군이 고개를 갸우뚱하며 물었다.

“한마디로 사람을 살던 땅에서 쫓아낸 것들이 돈을 버는 겁니다.”

“개좆같다.”

“하하하.”

“하하하.”

나도 단군도 웃고 말았다.

또, 그때는 개좆같다, 는 말이 여느 말처럼 쓰이던 때였다.

“여기는 어떤 일이 있어도 재개발은 안 해야지.”

단군은 말도 참 간단히 했다.

이때 이미 고조선에는 팔조 금법, 꼭 지켜야 될 법이 여덟 개 있었다.

첫째, 사람을 죽인 자는 목을 매단다. 둘째, 남을 때리거나 다치게 한 이는 쌀, 보리, 감자, 옥수수, 콩으로 갚는다. 셋째, 남의 것을 훔친 이는 데려다 머슴으로 삼는다. 넷째, 남과 놀아난 사내와 계집은 매를 맞는다. 다섯째, 남을 속여 제 뱃속을 채우는 것들은 매로 더 맞는다. 다섯째, 거짓으로 꾸미는 이도 매로 다스린다. 여섯째, 함부로 술을 처먹고 수레를 몰거나 불을 지르거나 부수는 것들은 옥에 가둔다. 일곱째, 발랑 까지거나 못된 것은 회초리를 맞는다. 여덟째, 괜히 짜증을 부리거나 침을 뱉거나 욕을 하는 것도 매로 다스린다.

그래서 그런지, 내가 보기에도 나라가 아주 평화로웠다.
고조선은 문을 다 열어놓고 살았으며, 사람이 붐비는 저자에서도 서로 어깨 한 번 부딪치지 않았다.
"그런데 잘못도 없는 사람이 매를 맞는 앰한 일도 있지 않습니까?"
내가 단군에게 물었다.
"그럴 리는 없다. 제 잇속만 챙기는 것들은 얼굴에 다 나타난다. 눈이 찢어졌다든지, 괜히 실실 웃는다든지, 침을 뱉는다든지, 자꾸 눈치를 본다든지, 얼굴이 못됐게 생겼다든지, 눈빛이 안 좋다든지 다 나타나니까."
단군은 거침없이 말했다.
"단군 조선도 1000해가 지나면 기자 조선, 위만 조선, 2000해가 지나면 고구려, 부여, 동예, 옥저, 마한, 변한, 진한이라는 나라가 생기고 그다음에는 고구려, 신라, 백제, 가야의 4국시대로 들어갑니다."
"그래? 그거야 어쩔 수가 없지. 나라만 잘 살면 되지. 그래, 자네가 산다는 2023년의 대한민국은 살 만한가, 아, 참, 짜증난다고 했지. 그래도 어쩌겠나, 자네가 사는 나라니까 잘 살아야지."

"어떻게 하면 짜증이 안 나고 고조선처럼 잘 살겠습니까?"
"자네가 본 대로, 느낀 대로 가서 하게. 자네는 구세주가 될 거야."
"메시아 말입니까?"
내가 깜짝 놀라서 물었다.
"뭐라고? 야릇하게 지껄이지 말게. 그냥 힘든 사람을 어려움에서 구해주는 사람이 될 거란 말일세. 나는 한눈에 사람됨을 알아보거든."
"제가요?"
"그래."
나는 그렇게 다시 2023년의 우리나라로 돌아왔다.
하지만 얼마가 지나도 내가 구세주가 되기는커녕, 구제 받아야 될 것 같았다. 글을 가르치는 내 일거리는 떨어져 돈도 잘 못 벌고, 여느 사람은 더 못되어지기만 하고, 길이든 저자든 모두 개판이었다.
아아.
'이런데도 내가 구세주가 된다고, 힘든 사람을 구해주는?'
단군은 무엇 때문에 나에게 그런 말을 했을까?
한눈에 나를 알아보았다고?
아아.
나는 그저 괴롭기만 했다.
아아.
'내가 살고 있는 우리 마을의 구세주라고 될 수 있을까? 아니, 구세주가 되고 안 되고, 보다 나는 어떻게 살 것인가!'
나는 여느 때처럼 길이나 자리도 잘 비켜주었고, 길에 있는 못, 유리, 돌, 나뭇가지도 곧잘 옆으로 밀어두었다.
우리나라는 겨울로 치닫고 있었지만, 나는 그런대로 글도 쓰며 견디고 있었다.
하늘은 맑지 않았으며, 늘 뿌연 먼지로 덮여 있었다.
아아.

나는 그 겨울이 지나고부터는 단군을 만나러 갈 수도 없었다.
지난해는 이래저래 겨우겨우 길을 찾아 단군을 만났지만, 그 길이 사라져버린 것이다.
그렇지만 나는 단군왕검을 만났던 일은 자주 또렷이 떠올렸다.
"그냥 힘든 사람을 어려움에서 구해주는 사람이 될 거란 말일세."
아아.

- 끝 - 2023/11/22

사라지는 나라

2023년 우리나라는 한 집에 하나도 아이를 낳지 않는다고 한다.
그러나 이때부터라도 이랬더라면, 이야기는 달라졌을 것이다.

그때 우리나라는 아이 하나를 낳으면 집을 거의 공짜로 빌려주면서 1천만 원, 둘째를 낳으면 2천만 원, 셋째를 낳으면 3천만 원, 넷째를 낳으면 4천만 원을 준다고 했다.

"그럼, 다섯째를 낳으면 5천만 원을 주나?"

그가 물었다.

그는 바로 김 혁의 아버지인 김 병일이었다.

"거기까지는 말이 없는데요."

김 병일의 아내 이 선희가 말했다.

"우리는 넷을 낳을까? 그러면 6천에 4천을 더하면 딱 1억이군."

그가 우스개를 떨었다.

"아니, 세 번째에 쌍둥이를 낳아도 딱 1억이군, 하하."

"여보!"

그녀가 눈을 흘겼다.

그래서 그들은 그해 첫째 아들을 낳았고 이듬해는 딸을 낳았다. 그리고 그다음 해는 김 병일의 말처럼 쌍둥이 아들딸을 낳았다.

아아.

그렇게 그들은 마침내 세 해 만에 1억 원을 받게 되었다.

그 2023년에 김 병일과 이 선희가 낳은 아이가 바로 2123년 백 살이 된 김 혁이었다. 그때 우리나라는 5000만이 다 잘살고 있었다.

그러나 2023년, 우리나라는 한 집에 하나도 아이를 낳지 않았다.
그게 줄곧 그렇게 이어진다면, 2023년 올해 한 살인 아이가 우리나라 나이로 백 살이 되는 2123년 살아 있는 사람은 거의 없을 것이다.

2123년.
그는 우리나라에 겨우 100명 남은 가운데 한 사람이었다.
그러나 그들은 아이를 낳지 못하는 늙은이뿐이었다.
아아.
이제 남은 것은 늙은 의사 김 혁이 몸의 세포를 떼서, 인공 자궁에 집어넣고는 복제 배아로 아이를 낳는 것뿐이었다.
아아.
그러나 인공 자궁이 아직 잘 돌아가지를 않았다.
몇 십 해 앞만 하더라도 젊은 계집의 몸에 인공 자궁을 넣어서 아이를 길러낼 수가 있었지만, 이젠 모두가 늙어버렸다.
아아.
2123년 우리나라에 남은 100명은 모두 여든에서 백 살까지였는데, 2100년부터는 여름에 60도까지 올라갔고, 하늘은 봄, 여름, 가을, 겨울 온통 시뿌옇기만 해서 백 살을 넘기는 사람이 없었다.
아아.
'인공 자궁으로도 아이가 태어나지 않는다면, 우리나라에 사람은 사라진다. 다른 나라 사람이나, 거기에 살던 우리나라 사람이 들어오려고 해도 공항도 항구도 사라진 지 오래다. 이제 100명밖에 남지 않은 나라에서 무엇을 할 수 있겠는가! 모든 것이 사라진 나라.'
김 혁은 고개를 내저었다.

나라의 모든 공장과 회사, 학교는 문을 닫은 지 이미 오래였다.
그래도 사람이 모이는 곳이라고는 서울에 있는 김 혁 병원 하나뿐이었다.
아아.
거기엔 몇 개의 인공 자궁이 돌아가고 있었지만, 손바닥만 한 아기는 몇 달을 넘기지 못했다.
아아.
"사람의 몸속과 인공 자궁이 같을 수는 없지."
날마다 김 혁의 병원에 오는 이 일삼이 말했다.
"아무리 과학이 발달해도, 사람을 만들 수는 없는 거야."
체세포를 복제해서 키운 아기도 거의 다 사춘기를 넘기지 못하고 병에 걸리거나, 머리가 야릇해져서 죽고 말았다.
아아.
"우리나라에, 이건 나라도 아니지만, 빈 집이 남아돌아도 고칠 장비를 가지고 들어와 살아야 되니, 다른 나라에서 아무도 안 들어온다면서요?"
올해 여든이 된 이 일삼이 김 혁에게 말했다.
"그렇다네. 돈을 들고 와도 집을 고칠 사람이 없는데, 누가 오려고 하겠나? 전기는 햇볕으로 얻는다지만, 그것도 고치려면 새 전지판을 들고 가서 몸소 고쳐야 하니."
"여기 아직 물이 있죠?"
이 일삼은 라면 봉지를 뜯고 있었다.
2123년 우리나라에서 물은 모두 집에서 빗물을 받아두었다가 정제해서 마시고 있었고, 화장실은 재래식으로 바뀐 지 오래였다. 몸은 집에 쌓아둔 물 종이로 닦고, 끼니로는 집마다 산더미처럼 쌓인 즉석 식품만 먹었고, 그릇도 그렇게 닦았다.
아아.
"이런 것만 먹으니까, 정자가 더 안 만들어지지."

이 일삼이 또 우스개를 떨었다.
“자네는 아직 씨물이 살아 있을 수도 있어.”
김 혁이 그를 빤히 보며 말했다.
“에이, 설마. 아니, 씨물이 있다고 해도 짝을 지을 수가 있어야지, 하하하.”
오랜만에 병원 안에 큰 웃음소리가 났다.
늙은이 100명이 사는 나라에 어쩌다가 다른 나라에서 미군 비행장으로나, 제 배를 타고 우리나라 바닷가로 젊은 사람이 들어온다고 해도 열흘만 지나면 견디지 못하고 다시 다 나갔다.
휴전선?
거기엔 미군뿐이었다.
남한이 북한에 넘어가면 일본이 무너질 수도 있기 때문에, 그렇게 되면 또 태평양이 위험하다고 모질게도 미군은 제 돈을 들여 휴전선을 지켰다.
그런데 어찌된 일인지 북한도 2023년에 2500만이던 사람이 2123년에는 1000만으로 줄어들고 말았다. 들리는 말에 따르면 방사능 탓이라는 둥, 북한도 이미 그때부터 아이를 덜 낳아서 그렇다는 둥 여러 가지 말이 있었지만, 남쪽을 칠 힘은 없었던 것이다.
그건 일본도 마찬가지였다.
2023년에 1억이 넘던 일본은 2123년에 겨우 1000만 명만 남은 나라가 되고 말았다.
2123년, 우리나라는 돈도 얼마 안 남았지만, 쓸 데도 없었다.
그러니까 우리나라 서울에 남은 백 집에 백 사람의 늙은이만 살고 있었고, 그들이 모이는 곳은 김 혁의 병원 하나였다.
아아.
아무런 꿈도 남지 않은 곳에서 그들 늙은이는 하루하루를 살아가고 있었다. 김 혁에게 남은 꿈은 무엇일까?
“자네에게 남은 꿈은 무엇인가?”

김 혁이 먼저 이 일삼에게 물었다.
"꿈, 그건 밤에 잘 때나 꾸는 게지, 요즘엔 꿈도 잘 꾸지 않아요."
"나는 그래도 사람을 만나고, 이야기를 나누고, 글을 쓰지."
"그건 나도 알지만."
"자네도 글을 쓰게."
"이 나이에?"
"그래. 그러면 함께 나누어 읽어볼 수도 있잖나?"
"그렇군요."
병원 밖은 낮인데도 시뿌연 먼지가 끼어 있었다.
"이제 우리나라에 공장도 없는데 저 먼지는 어디서 날아온 거야? 중국인가?"
김 혁이 창밖을 바라보며 말했다.
"그렇겠죠."
이 일삼도 김 혁도 마흔, 쉰이 넘도록 짝을 짓지 못해 아내도 아들딸도 없었다. 그건 나머지 아흔여덟 늙은이도 마찬가지였다.
"자네는 사랑하는 사람이 없었나?"
김 혁이 이 일삼에게 물어보았다.
"한 사람이 있었지만, 나 같은 사람이 짝을 지을 수 있었겠어요? 그녀도 짝을 짓지 않았으니까. 모두 다 마찬가지 아닌가요?"
김 혁은 이제는 이름도 잊은 사랑하던 사람을 잠깐 떠올려보았다.
"그때 이미, 우리 몸은 씨물이 마르고 있었을 거야. 그래도 짝을 짓지 않아서 그런지, 우리가 오래 살잖아, 하하."
김 혁이 헛웃음을 지었다.
"어제 저 윗동네에 사는 할머니 한 분이 곧 돌아가셨다던데."
이 일삼이 다 먹은 라면의 그릇을 물 종이로 닦아내며 말했다.
"누구? 올해 백 살이 된 그 키 작은 할머니?"
"네."
"요즘엔 병원에도 안 오시더니."

김 혁이 고개를 떨어뜨렸다.
“이제 아흔아홉 사람 남았군, 우리나라에.”
“어쩌다가 나라가 이렇게 되었을까요?”
이 일삼도 고개를 숙였다.
“올해만 지나면, 내가 백한 살이 되는군.”
김 혁이 말을 돌렸다.
“14억 명이 넘던 중국도 이제 몇 억밖에 남지 않았으니까, 우리나라 하늘이 맑아진 거 아니에요? 황사도 줄었다는데.”
이 일삼이 창밖을 쳐다보며 말했다.
“그러면 내가 백한 살까지 살 수도 있겠군.”
김 혁은 그렇게 말하며, 나뭇잎이 다 떨어져 가는 12월의 나무를 바라보았다.
중국에서 불어오는 황사가 줄었다고는 하지만, 봄이면 아직은 100해 앞 2023년보다는 어마어마한 먼지바람이 몰아쳤다. 그건 지구가 뜨거워진 탓이었다. 우리나라 바다에서 물고기가 사라진 지는 오래되었다. 바닷물이 30도를 넘었고, 일본에서 버린 방사능 오염수가 이미 온 지구 바다에 퍼져 있었다.
아아.
“그래도 올해 겨울은 좀 서늘하군.”
이 일삼이 말했다.
몇 십 해 앞부터 우리나라는 겨울이 되어도 영하로 떨어지지 않았고, 아침에는 10도 낮에는 20도까지 올라갔다.
“얼음을 보려면 북극에나 가야지. 아니면 설악산 꼭대기에 오르든지.”
김 혁이 말했다.
“대전이나 대구, 광주, 부산은 유령 도시가 되었다더군.”
그랬다, 무너진 도시엔 짐승만 어슬렁거리고 있었다.
게다가 시골은 밀림처럼 나무가 빽빽하게 들어선 깊은 숲으로 바뀌고 말았다.
아아.
겨울이 얼마만큼 춥지 않으면 나무에 싹이 돋지 않는다, 싹이 돋지 않으면 열매도 맺히지 않는다.
그래서 2050년, 2060년부터는 모든 과일과 채소, 쌀, 밀 따위가 반으로 줄어들었고, 그다음부터는 사람도 즉석 식품을 많이 먹게 된 것이 인구가 더 줄어드는 까닭이 되고 말았다.
논과 밭이 사라진 나라.
아아.
2123년이 저물고 있었다.
이제 아흔아홉 사람이 남은 우리나라는 몇 해를 더 버틸 수 있을까? 아니, 이미 대한민국이라는 이름은 사라지고 있었다.
아아.
이 일삼은 오늘도 김 혁의 병원에 들렀다.
거기에는 이미 아프지도 않은 늙은이가 몇 사람이나 와 있었다. 그들이 서울에서 사람을 볼 수 있는 곳이라곤 거기뿐이었다.
아아.
"이번 성탄절에 모두 한 번 모이는 게 어떻겠습니까?"
이 일삼이 물었다.
"음, 나도 생각하고 있었네만, 성탄절보다 올해 마지막 날인 12월 31일이 좋지 않을까? 한 해를 보내고, 새해를 맞이하는 날이니 말이세."
김 혁이 말했다.
"네, 그럼 그날 몇 시에 모이라고 할까요? 제가 한 집 한 집 돌아다니며 이야기하겠습니다. 요즘 통 못 뵌 분들도 있어서요."
"그래, 그러게, 12월 31일 아침 10시에 여기로 모이도록 전하게. 차라도 마시면서 이야기를 나누자고."
"네."

그날부터 이 일삼은 새로운 일거리가 생겼다고 신바람이 나서 발걸음도 가볍게 한 집 한 집을 찾아 돌아다녔다. 전화기도 이미 몇 십 해 앞에 사라졌기 때문이었다.
그러나 며칠 만에, 이 일삼은 어느 집 앞에서 털썩 주저앉고 말았다.
아흔아홉 사람 가운데 벌써 아홉 사람이나 숨져 있었던 것이다.
아아.
“이제 우리나라에 남은 사람은 늙은이 아흔 명뿐이야, 이렇게도 우리가 무심했다니, 아아.”
이 일삼이 가슴을 치며 통곡했다.
아아.
김 혁은 아무런 말도 할 수 없었다.
2123년 12월 31일, 아침 아홉 시부터 우리나라 사람 모두가 김 혁의 병원 앞으로 모여들고 있었다.
아무런 할 일도 없는 늙은이들이 이른 아침부터 김 혁의 병원으로 찾아온 것이다. 그리고 그때쯤, 이 일삼도 모습을 드러냈다.
“날이 쌀쌀한데, 왜들 안 들어가시고 여기에 모여 계세요?”
이 일삼이 앞줄에 서 있는 몇몇 사람에게 말했다.
“아니, 아직 문이 안 열렸어. 열 시는 되어야 문을 열려나?”
그 가운데 한 늙은이가 말했다.
“예? 그럴 리가요. 아홉 시면 틀림없이 나오는 분이데.”
이 일삼이 그렇게 말하며, 김 혁 병원의 문을 세차게 두드렸다.
“안에 안 계세요? 아무도 안 계세요?”
이 일삼이 유리문 안쪽을 들여다보았지만, 아침 햇살이 비쳐서 그런지 잘 보이지가 않았다.

하지만 안에는, 찻잔 아흔 개가 탁자 위에 놓여 있었고, 바닥에는 의사 김 혁이 쓰러져 있었다.

- 끝 -   2023/12/5

4.19혁명

1960년 4월 18일 밤, 고려 대학 2학년이던 나는 이 동준, 김 일혁과 함께 안암동에서 경동 시장 쪽으로 걸어가고 있었다.

그런데 그때,

“족쳐라!‘

라는 소리와 함께 어둠 속에서 갑자기 몽둥이가 날아왔다.

악, 윽.

우리는 팔 한 번 휘두르지 못하고 여기저기 쓰러졌다.

“누구야, 이 새끼들!”

이 동준이 외쳤지만, 그들이 휘두르는 몽둥이 앞에 우리는 퍽퍽 나뒹굴었다.

아아.

그러니까 그들은 그날 낮에 안암동에서 시위를 하던 고려 대학생을 몽둥이로 막던 반공 청년단이었는데, 밤에도 길목을 지키고 있었던 것이다. 그들은 경찰의 끄나풀 노릇을 하고 있었다.

1960년 4월 11일, 마산 앞바다에 마산 상업 고등학교 1학년 김 주열의 주검이 떠올랐다. 그는 그해 3월 15일에 있었던 대통령 부정 선거에 맞서 싸우다 경찰이 쏜 최루탄이 눈에 박힌 채, 바다에 버려진 것이다. 그날부터 마산에서 일어난 시위가 우리나라에 들불처럼 번 진 것이다. 나중에 알려진 바에 따르면, 경찰은 숨진 김 주열을 지프차에 태워서는 3월 15일 밤 마산 앞바다에 버렸다고 한다.

아아.

1960년 3월 15일에 있었던 정, 부통령 선거도 마찬가지였다.

이미 집집마다 막걸리와 고무신을 나누어준 자유당과 경찰은 그것도 모자라 세 사람씩, 아홉 사람씩 한 조를 만들었고, 그들은 조장이 시키는 대로 이 승만과 이 기붕에게 투표를 했던 것이다.

그리고 또 하나, 이 승만을 누르고 대통령이 될 것 같았던 민주당 조 병옥이 1960년 2월 15일, 미국 육군 병원에서 갑자기 심장 마비로 숨지고 말았다. 까마귀가 앉았던 배나무에서 배가 떨어진 것이다. 조 병옥이 미국에 가지 않았다면, 아니 몸이 아파 갔더라도 육군 병원에 가지 않았다면, 그는 살아서 우리나라로 돌아왔을지도 모른다. 이제 이 승만의 정적이 사라진 셈이었다.

아아.

그러니까 이 모든 것이 4.19혁명으로 이어지고 있었던 것이다.

1960년 4월 19일 아침, 나와 김 일혁은 고대 앞 이 동준의 하숙방에 함께 있었다. 어젯밤 우리보다 반공 청년단에게 많이 맞은 이 동준이 아직 일어나지를 못했다.

"동준아, 괜찮아?"

김 일혁이 물었지만,

"으."

하는 말만 되돌아왔다.

"우리끼리라도 나가보자."

내가 김 일혁에게 말했다.

"그래, 오늘은 반드시."

김 일혁과 나는 이 동준을 남겨두고 고대 앞으로 나갔다.

그런데 벌써 사람이 바글바글 모여 있었고, 이미 앞쪽은 동대문 쪽으로 걸어가고 있었다.

"경무대로 가자!"

거의 모든 사람이 그렇게 외치고 있었다.

"이 승만을 끌어내자!"

아아.
나와 김 일혁도 그 소리에 휩쓸려 어느새 줄을 지어 어깨동무를 하고는 동대문 쪽으로 나아갔다.
"세 번 대통령을 하고도 모자라, 네 번씩이나 하겠다는 게 말이 돼?"
김 일혁이 지난번 3.15 부정 선거를 탓하며 말했다.
"이번에는 끝장을 내야지, 이제는 지긋지긋해."
"그래, 말이야. 그것도 첫 대통령을 한 것은 치지도 않고, 혼자서 세 번을 했으니, 참, 나."
내 말에 김 일혁이 맞받아쳤다.
"그렇게 바꾸려면 국회의원 찬성이 136명이 되어야 삼분의 이가 되는데, 135.333은 반올림하면 삼분의 이가 135명이라고 우겨서 세 번 대통령을 한 이 승만이 네 번은 하지는 않겠다고 제 입으로 말해 놓고는 또 나왔잖아."
우리 앞쪽에 동대문이 보였고, 길가에는 사람이 벌떼처럼 모여 있었다.
"나는 김 주열이 불쌍해, 이제 고등학교에 갓 들어갔는데."
나는 며칠 앞 신문에서 보았던, 그 큰 최루탄이 그대로 눈에 박힌 김 주열의 얼굴을 떠올리며 말했다.
"개새끼들!"
오늘따라 김 일혁은 마음을 단단히 먹은 듯했다.
아아.
시위대는 동대문에서 오른쪽으로 돌아 인사동으로 들어서고 있었다.
이미 종로에서 광화문 쪽으로 몰린 사람들도 경무대로 향했다.

자유당 독재 정권 물러나고 이승만은 하야하라.

그들은 붓으로 하얀 천에 그렇게 쓴 글을 양끝을 장대에 매어 달고는 외치고 있었다.
아아.
나와 김 일혁도 그 많은 사람 속에서 젊음에 겨워 소리 높이 외쳐 부르고 있었다.
"이 승만은 하야하라!"
그런데 그때, 갑자기 어디선가에서 총소리가 들렸다.
따, 따, 따, 땅!
사람들이 이리저리 흩어지고, 나와 김 일혁도 경복궁 담벼락으로 달려갔다.
"경찰이 저 앞에서 총을 쏜다!"
누군가 그렇게 외치는 소리가 들렸다.
따, 따, 따, 땅!
"사람들이 쓰러졌다!"
"가자, 경무대로!"
"가자, 우리도!"
그때 김 일혁이 소리치며 일어났다.
"혁아!"
내가 불렀지만, 그는 어느새 큰길 앞으로 달려 나가고 있었다.
멀리 광화문이 보였다.
그런데 그때 다시 총소리가 들렸고, 앞쪽으로 달려 나가던 김 일혁이 퍽 쓰러졌다.
"혁아!"
내가 그를 부르며 일어나려 했을 때, 총알이 길에서 튀더니 담벼락 쪽으로 날아왔다.
"이 새끼들!"
나는 다시 머리를 담벼락에 처박았다.
1960년 4월 19일, 그날 경찰이 쏜 총에 서울에서만 150명이 숨지고 1000명이 넘게 다쳤다.
아아.
그날 저녁, 나는 길바닥에 피를 흘리며 쓰러진 김 일혁을 끌어안고 있었다.
"혁아, 혁아!"
그의 몸에서 흘러나온 피가 내 무릎을 차갑게 적시고 있었다.
1960년 4월 19일 밤.
우리나라에 비상 계엄령이 떨어졌다.
이 승만은 시위대를 공산주의자라고 몰아붙였다.
그러나 4월 20일 아침, 이제는 거의 모든 사람이 들고일어났고, 계엄 사령관 송 요찬도 시위를 막지 않았으며, 더는 총소리가 들리지 않았다.
이제 이 승만도 더는 그들을 공산주의자라고 말할 수 없었다. 발등에 불이 떨어진 그는 이 기붕이 모든 자리에서 물러나도록 했지만, 부통령인 장 면은 이 승만이 물러나야 한다면서 자리를 박차고 나왔다.
4월 21일, 이 승만은 스스로 자유당에서 물러나고, 경찰도 끼어들지 못하도록 하겠다는 꼼수를 썼지만, 이미 온 나라 사람이 들고일어난 다음이었다. 이제 사람들은 반공 청년단과 자유당 우두머리들의 집에 불을 지르며 돌아다녔다.
4월 22일, 다급해진 이 승만은 국무총리였던 변 영태와 서울 시장이었던 허 정에게 도와달라고 이야기했지만, 그들은 이미 손을 쓸 수 없게 되었다며 뒤로 물러섰다.
4월 23일, 이 승만은 다시 허 정을 불러 외무부 장관을 맡아달라고 말했고, 허 정은 그가 물러날 것을 전제로 그 자리를 떠맡았다.
4월 24일, 고려대 교수실.
"이 동준은 괜찮은가?"
그저께 김 일혁의 장례에 왔던 박 문식 교수가 나에게 물었다.

“예, 이제 일어나 움직입니다.”
“그래.”
박 교수가 말했다.
“우리 교수도 내일 시위에 나가기로 했네, 늦었지만 더는 가만히 앉아서 볼 수가 없었어. 서울에 있는 대학 교수 300명이 고려대에서 경무대까지 시위를 하기로 했네.”
“예? 그제 정말입니까!”
나는 가슴이 벅찼다.
“그래, 내일은 우리 모두 함께 나가세.”
“예. 제가 동준이도 데리고 가겠습니다.”
창밖에는 개나리와 진달래가 활짝 피어나 있었다.
4월 25일 아침.
고려대 앞에는 교수와 학생, 시민 몇 천 명이 모여 들었다.
“가자, 경무대로!”
“이 승만은 하야하라!”
누가 먼저라고 할 것도 없이 시위대는 깃발을 들고 동대문 쪽으로 나아갔다.
교수들이 나선 것이 큰 힘이 된 것만은 틀림없었다.
나는 이 동준을 부축해서 걸어가느라고 뒤처졌지만, 우리가 동대문에 들어섰을 때는 을지로와 종로가 이미 사람들로 꽉 메워져 있었고 모두 이 승만이 있는 경무대로 향하고 있었다.
“이 승만은 물러나라!”
는 소리가 하늘을 찌르고 있었다.
계엄군도 뒤로 물러나 모두 우리를 바라만 볼 수밖에 없었다.
나와 이 동준도 마침내 광화문 앞에 섰다.
그 뒤 경무대 담장 위로 고개만 내민 경찰 몇몇이 닭 쫓던 개가 지붕 쳐다보듯 우리를 바라만 보고 있었다.
“이 승만은 하야하라!”

는 소리가 하늘에 쩌렁쩌렁 울려댔다.
나와 이 동준도 목이 터지라고 외쳐댔다.
"독재 정권 물러나라!"
이제는 산 빛도 푸르러지고 있었다.
4월 26일 아침, 마침내 이 승만은 외무부 장관 허 정, 계엄 사령관 송 요찬, 미국 대사와 이야기를 나눈 끝에 자리에서 물러나고, 새로 정 부통령 선거를 해서 의원 내각제를 할 것임 약속했다. 미국도 온 나라 사람이 들고일어난 물결을 잠재울 수는 없었고, 새롭게 다가오는 물결을 타기 위해 안간힘을 쓴 것이다.
마침내 4월 19일 혁명이 일어난 지 이레 만에 이 승만은 물러났다.
아아.
4월 27일, 나와 이 동준도 다시 학교로 돌아왔다.
우리는 박 문식 교수의 강의를 들으면서 왠지 가슴이 벅차 올랐다.
3. 15 부정 선거가 있고, 거의 한 달 만에 우리는 본디의 모습으로 돌아와 글을 배우고 있었다.
아아.
그러나 나라는 어지러웠다.
잘살지는 못하더라도 모두 게염도 부리지 않으면 되는데, 저만 더 가지려고 하니 나라꼴이 말이 아니었다.
그해 7월까지 나라를 이끌고 있던 허 정은 3.15 부정 선거를 벌인 놈들이나 돈을 받은 벼슬아치를 다 잡아넣지도 못했고, 아직 군대의 눈치를 볼 수밖에 없었다. 그가 마지막으로 잘한 일은 자유당을 없앤 것이었다.
1960년 8월, 마침내 민주당의 장 면이 우두머리가 되어 나라를 이끌게 되었지만, 어수선하기는 마찬가지였다.
"따지고 보면 그들 벼슬아치가 새 나라를 세운 건 아니잖아?"
이 동준이 뜨거운 햇볕이 내리쬐는 잔디 위에 누운 채 말했다.
"그러게 말이야. 나라를 옳게 다스리지도 못하고 제 배만 채운 것들을 잡아넣지도 못하고, 사람에게 총을 쏜 경찰도 몇몇만 잡아들였으니.”
그들이 못마땅하기는 나도 마찬가지였다.
“혁이 생각나지 않아? 만날 여기 같이 누워서 하늘에 구름이 흘러가는 걸 바라보곤 했잖아?”
이 동준이 파란 하늘을 쳐다보며 말했다.
“그런데 꽃처럼 지고 말았으니.”
그가 가슴이 복받치는지, 누워 있던 잔디에서 일어나 앉았다.
“나라를 위해서 별이 된 게지.”
나는 눈물이 나려했지만, 입술을 꾹 다물었다.
아아.
“나 가을에 군에 간다.”
그때 갑자기 이 동준이 말했다.
“뭐라고?”
나는 깜짝 놀랐다.
“집에 돈도 없고, 군대나 갔다 오려고.”
이 동준이 마른 풀 하나를 집으며 말했다.
“2학년이라도 마치고, 봄이 되면 같이 군대에 가자, 동준아.”
내가 하릴없이 말해보았다.
“아니야. 나라에 충성하고 부모에게 효도해야지, 하하.”
이 동준이 허탈하게 웃었다.
아아.
나는 갑자기 가슴이 울컥했다.
그래서 아무 말도 하지 않고 입을 다물고는 하얀 한여름의 구름이 흘러가는 새파란 하늘만 바라보았다.

1961년 5월 16일.
육군 소장 박 정희가 군사 정변을 일으켜 나라의 우두머리가 되었다.

그 무렵 이 동준은 바로 북한이 빤히 보이는 임진강 쪽 철책에서, 나는 논산 육군 훈련소에서 총을 잡고 진흙 바닥을 기고 있었다.

- 끝 - 2023/12/27

김 영관 단편소설 모음 17 - 청주와 새옹지마 -

청주와 새옹지마

발 행 | 2024년 1월 05일
저 자 | 김영관
펴낸이 | 한건희
펴낸곳 | 주식회사 부크크
출판사등록 | 2014.07.15.(제2014-16호)
주 소 | 서울특별시 금천구 가산디지털1로 119 SK트윈타워 A동 305호
전 화 | 1670-8316
이메일 | info@bookk.co.kr

ISBN | 979-11-410-6495-2

www.bookk.co.kr